日本的統治結構

飯尾潤 著
林倩伃 譯
林賢參 審閱

從官僚內閣制——到議會內閣制

五南圖書出版公司 印行

前言

永無止盡地批判政治及政府，不能相信政治人物，有見識的政治人物已經沒有了，厭惡官僚等，這些批評的聲音不絕於耳。

長期以來，日本的政治人物都被認爲難以發揮大膽的領導能力。因此，希望大幅度變更政策的人便認爲，在議會內閣制之下無法出現具有領導能力的政治人物，主張日本應該改採總統制。

不過，除了美國及法國以外，歐美先進國家幾乎都採用議會內閣制，而這些國家的首相也有不少發揮領導能力的例子。而且再加上經歷了小泉純一郎內閣執政後，便出現了認爲日本首相也能發揮領導能力的看法。

那麼，議會內閣制原本是什麼樣的制度呢？

簡言之，議會內閣制是將行政權奠基於議會（國會）的制度；具體而言，在議會中占多數席次的政黨握有行政權。

日本國內大都認爲，總統制可以大膽行使權力，議會內閣制可行使的權力則受到限制。但是，歐美國家的想法卻與此大相逕庭。

議會和總統是分別由不同的選舉所選出，與權力劃分明確的總統制相比較，身爲內閣最高長官、而且可同時掌握議會及政府雙方權力的首相，本應擁有更大的權力才對。

東西方冷戰結束後，日本便不斷實行統治結構的改革，而小泉內閣的首相主導型政治出現，可以說是改革的一個結果。此外，日本政府無法大膽發揮領導能力的狀態，乃是戰後日本孕育出來的獨特現象，早已背離一般議會內閣制的意義。

本書透過對日本議會內閣制的分析，針對國會、內閣、首相、政治人物、官僚體制、政黨、選舉制度及政策決定過程等領域，從歷史的縱軸與國際比較的橫軸切入，嘗試以結構性角度解析日本統治結構的過去與現在。

分析之際，暫且不討論應實行的政策，而是先行思考必須採取哪一種政府結構，才能實現符合期待的政策。也就是說，將政府的能力列爲思考的問題。其次，再以現代日本政治的現況爲基準，解說其統治結構，並提出可提升政治效能的方案。

爲展開整體論述，在此先行說明本書內容的安排。

第一章說明戰後日本的議會內閣制特色，並從「內閣是什麼」的問題開始探討起。首先，儘管已經依據日本國憲法實施民主化，並轉變體制，但仍須注意的是，內閣制從戰前以來即已存在的事實。這樣就能理解，政黨政治人物並非內閣的主體，而是以行政機關省廳[1]代表者聚集在一起組成內閣，這種認知造就了戰後日本獨特的議會內閣制。我把這個由官僚代理人所組成的內閣，稱作「官僚內閣制」。

雖然講法稍微極端，但是，這就是所謂「理念型」的展現。

第二章探討官僚運作下的各個省廳實際狀況，從結果可以看出，反映社會動向的結構就存在於各省廳內部。我將其稱爲「省廳代表制」，並指出各個省廳影響力擴及社會，縱向管理的省廳各自代表了不同社會團體的利害關係。

第三章主要論述長期執政的自由民主黨【2】，如何擴大政策審議機構，以不同於內閣的「執政黨」身分推動政策，將其特徵稱爲「政府、執政黨二元體制」。因爲這個機制運作相當發達，一方面讓日本的政策形成過程更加複雜、權力及責任歸屬變得曖昧不明，另一方面，這個機制也可以作爲緩衝，讓日本政府得以應付時代的變化。

第四章「無政黨輪替的政黨政治」中，將從各種制度的運作層面，探討政治競爭的應有狀態，並分析即使未經政黨輪替，也可以完成政策轉換，但是正因爲如此，才造成不會發生政黨輪替的結果，這是很明確的。在此論述的基礎上，指出缺乏政黨政治最大機制的政黨輪替所衍生之問題。

第五章概觀各國政治制度，以凸顯出日本政治的特色。有些案例即使表面上

【1】譯註：相當於我國的中央部會。

【2】譯註：以下簡稱自民黨。

制度相似，實際運用上卻大相逕庭。也有些案例雖然制度不同，卻能發揮相同的效果。本章不僅探討正式政治制度，也一併比較政治人物與官僚、社會結構的關係，以期深入探討問題。

第六章主要探討日本政治制度的具體問題，以及改革的方向。其次，再解析執政者的權力集中與一般選民所付託的民主統治制度二者兼具，才是有效率民主政府的條件。本書主張，應該透過將日本獨特的內閣制轉爲普遍的議會內閣制，以實現前述的政府體制改革。此外，自一九八〇年代末期起，日本透過政治與行政改革等不斷地努力，也顯示出持續在產生效果的現象。然而，也有人認爲，還存在政黨政治改良等課題懸而未決。

最後的第七章則指出，僅依靠議會內閣制的強化、政黨政治的發展等貫徹近代政治原理的改革，仍然無法解決當代的課題。

在本書的說明中，因爲會出現與讀者過往所了解內容不盡相同的說法，也許會稍微難以理解。不過，我認爲若讀者能耐心閱讀，就能從新的角度觀察日本政治。日本政治有什麼問題、要怎麼做才會更好？本書最主要的目的，便是正面回答這些疑問。

*本書對於democracy的翻譯用語會依據使用情況而異，如說明體制時以「民主政治」表示，說明制度層面時則以「民主制度」表示，說明思想運動等層面時則使用「民主主義」一詞。

目次

Chapter 1

官僚內閣制

對於議會內閣制的誤解

因爲郵政民營化問題，導致自民黨內部分裂、混亂，當時首相小泉純一郎突然解散衆議院，因而讓日本國內經常以「總統制手法」一詞來形容此一事件。雖然總統制國家通常不具有解散議會的權力，除此之外，社會氛圍似乎接受了小泉的政治手法。

日本政治最常受人詬病的是，缺乏迅速有力的決策，以及因應社會變化做出大膽改革等問題。此時，「議會內閣制」往往成爲受指責的箭靶。「就因爲採取議會內閣制，才無法果斷下決策」的批評，不僅來自批判日本政治的人士口中，政府內部也會以此作爲逃避責任的遁辭。經歷了小泉內閣的執政後，才開始理解到上述批評未必正確，但是，卻從未有人深入追究爲什麼會這樣。然而，若不仔細思考這個問題，就無法描繪出政治應有的樣貌。

實際上，議會內閣制眞的能在日本政治中發揮效用嗎？舉例來說，常常有人批評日本就是因爲採用議會內閣制才會導致權力分散，爲了強化領導人的權力，必須改採總統制。不過，這樣的想法在國際上不但不常見，甚至還有些奇妙。

就像多數日本人一樣，並不會對「日本國憲法的原則爲三權分立，並採用議會內閣制」這句話感到懷疑。但是，如果對美國人或英國人說出這句話，想必對方應該會一頭霧水吧？衆所周知，英國是採用議會內閣制的國家，美國則是採用總統制。以這兩個國家的政治體制來說，應該會有以下看法。

英國爲議會主權的國家，採用權力集中於內閣或首相的議會內閣制；權力並不分散，反而是相對集中。相較於此，美國則徹底實施權力分立，政治權力分別掌握在議會及總統手中，因此美國政治較偏向抑制權力。

也就是說，日本議會內閣制被認爲權力分散的看法，並不適用於所有國家。若以英國與美國分別爲議會內閣制及總統制創始國的角度來看，這些國家對於權力集中與分散的理解較爲正統。之所以會產生與這些國家不同的認知，也令人質疑日本人是否眞正了解這些制度。

之所以會令人有此感受，是因爲日本雖然號稱採用「議會內閣制」，卻會看到一些令人覺得日本幾乎不懂「議會」的意涵。例如，在日文輸入法中常因選字錯誤而將「議院（會）內閣制」打成「議員內閣制」[1]，但大家卻錯誤地混用而渾然不知。舉一個比較極端的例子來說，在探討英國政治的書籍中，也可以看到這種錯誤用法。因作者應該不可能不了解其英文原意，反而顯示了日本人對這兩種詞的混用深信不疑。豈止如此，竹中平藏[2]擔任小泉內閣大臣時，政界出現了以下這種批評：「明明國家採取的是議會內閣制，竟然讓『民間人士』（也就是不具備議員身分的人士）入閣，簡直是豈有此理」。這是一種基於「國會議員」擔任大臣才是議會內閣制的思維。若是如此，相較於「議會內閣制」一詞，也許稱之爲「議員內閣制」反而更加貼切。

在此再次說明，議會內閣制中的「議會」，指的是作爲「議會」的組織。也就是說，議會內閣制可稱作議會政府，意即由議會組織政府。

1 內閣制度百年與日本國憲法的制定

議會內閣制與內閣制的差異

現代日本似乎並未區分「議會內閣制」與「內閣制」的意思，即使習慣稱之爲「議會內閣制」，但似乎把議會內閣制的「議會」要素去掉，不了解其眞實意涵。

一九八五年，日本國內絲毫不帶疑問地舉辦了「內閣制度一百年」的紀念儀式，但是，卻徹底忘記過去這段期間，憲法早已修改、政治制度也已徹底變更的事實。確實，內閣制自明治時代起延續至今，即使憲法修改，也仍然持續存在。內閣

【1】譯註：議院與議員的日語發音相同。

【2】譯註：慶應大學教授。

總理大臣可從一八八五年就任的第一位內閣總理大臣伊藤博文開始，一直到現代。這些都可讓人感受到戰前的內閣制與今日內閣制有明顯延續性。不過，雖然憲法經過修改或替換，最根本的政治制度是否維持原貌不變呢？

戰後制定的日本國憲法具有多重意義，其中，包括戰後改革的重點是以日本國憲法爲基礎的民主化政策，對此有異議的人應該很少。

選舉是民主政治的必要條件，乃是理所當然。但是，日本政治並非因爲日本國憲法規定加入選舉而實現民主化。因爲在戰前，雖然女性不具參政權，但男性卻擁有普通選舉權，可參加衆議院議員選舉，大日本帝國憲法（明治憲法）條文上也承認衆議院議員選舉一事。

從民主政治的觀點檢視戰前政治體制的問題，便是透過選舉選出來的議員所組成的衆議院，其權能受到限制。例如，對於貴族院、樞密院及軍部的控制，便不屬於民選議會衆議院的權能。尤其是關係到內閣存續與否的問題，就未必需要衆議院的支持，衆議院權力受到過度的限制。

藉由制定日本國憲法以落實民主化，主要是在於採用議會內閣制，將權力集中於經過民主過程選出來的勢力。因此，日本政治透過日本國憲法實施民主化之際，確認議會內閣制是否正常運作至關重要。

在政治學的世界裡，有「戰前戰後連續論」與「戰前戰後斷絕論」兩派主張的對立。「戰前戰後連續論」主張，雖然經歷戰後改革，卻因「逆進程」等政策，留下許多戰前政治的要素，使得民主化或自由主義改革並不徹底，此派理論對戰後的制度變更效果評價並不高（辻清明等人）；相對於此，「戰前戰後斷絕論」則強調戰後改革帶來的民主化效果，加上戰後民主政治逐漸發展，與戰前有所不同（村松岐夫等）。不過，兩者的「對立」，主要是在於透過批判已成爲一般公認說法之「戰前戰後連續論」以點出問題爲中心。與其討論哪一個說法才是正確，不如衡量兩者的範圍，並多方檢視政治體系的運作方式，反而更有幫助。

戰後發展起來的日本政治，毫無疑問地是屬於民主政治的一種類型。不過，若從構成日本政治的一大關鍵，也就是議會內閣制的運用角度來看，確實脫離了憲法的原則，成爲民主政治比較奇特的型態。本章將特意著眼於戰前戰後連續論的探討，以檢視戰前政治要素如何保留至戰後，而且在民主政治的原則上是否產生什麼問題。

2 戰前日本的內閣制度

從大宰相主義到「同輩中的首席」

戰前延續到戰後的日本政治體制，之所以沒有太大差異，是因爲戰前就有包括以立憲政友會爲基礎的原敬內閣，以及以立憲民政黨爲基礎的濱口雄幸內閣等「政黨內閣」存在，與現在的議會內閣制政治運作方式看起來沒有不同。

不過，令人意外的是，明治憲法中不僅沒有議會內閣制的相關規定，甚至連「內閣」這個詞彙都沒有。雖然依照慣例，日本國內會用總理大臣的名字稱呼該次內閣，但明治憲法中卻並未規範內閣總理大臣的地位，也沒有針對內閣是由內閣總理大臣所組成的規範。

從法律角度看來，戰前的政治體制對於議會內閣制，也就是眾議院這個民選議會的統治抱持著強烈警戒心。換言之，明治憲法上的「超然內閣」才是正統制度。雖然法律上制度是如此，但是，那只不過是戰前某段時期靠著政黨內閣的持續，才得以實現類似於議會內閣制的政治。

明治憲法是由伊藤博文所起草，誠如前述，其內容並沒有明確規定內閣制及總理大臣的地位。之所以不採用英國式的議會內閣制或政黨內閣制，在所謂的明治十四年政變（一八八一年）時即已確認，而政府內部雖然沒有推動的勢力，但是，對於內閣制的形式卻有各式各樣的意見。

不採取自古以來僅有形式上制度的太政官制，而是創造一個近代且具實質性的制度，以期建構責任政治體制，乃是當時的共識。但是，在研擬實際的政治體制時，因爲對於未知的西方制度產生各式各樣的認知，更因政治上是否有利於自己而意見分歧。尤其當時即使在西方國家，議會內閣制等政治制度也正處於發展階段，大家仍未充分理解制度的特色、性質。

一八八五年，內閣制度經由「太政官達」【3】的公布而成立，規定其內容的「內閣職權」，載明不由天皇親政，而是由宮內大臣以外的各省大臣與內閣總理大臣組成內閣負責施政等原則，以及由國務大臣兼任行政長官的體制等規定。

其中最受矚目的是，採用被稱爲大宰相主義的原則，由內閣總理大臣擔任首席，負責「統制監督」各個行政部門；相對地，各省大臣則有向內閣總理大臣提出

【3】譯註：所謂「太政官」，係始自於西元八世紀的日本奈良時代的最高行政機關。德川幕府末代將軍德川慶喜將執政權交還天皇、亦即「大政奉還」後，由明治天皇於一八六八年親政，並且設置具備行政、立法、司法功能的「太政官」。由太政官所公布的法令名稱即稱為「太政官達」。明治政府於一八八五年採行內閣制後，即廢止太政官制。

報告的義務等，賦予內閣總理大臣相當強大的權限。從此意義上來說，在「內閣職權」之下的內閣制度，強調以內閣總理大臣爲主，對整體行政機關的統一運作。

不過，也有強烈反對大宰相主義的意見存在。例如，岩倉具視認爲，設置了權力強大的宰相，就是創造了「類似於幕府的存在」，忽視了明治維新的精神。也就是說，即使實際上難以達到天皇親政，但也有看法強烈認爲，明確定出實質政治中心，會讓表面上以天皇爲中心的政治體制空洞化。

在這些反對意見之下，一八八九年制定的明治憲法中，不但未將早已發揮作用的內閣制予以法制化，甚至連內閣的字眼都不使用。不僅如此，還制定了具有權力分散性格的「大臣單獨輔弼制度」。

配合明治憲法的制定，明治維新政府於一八八九年公布「內閣官制」敕令，以取代規範內閣制度的「內閣職權」，削弱了內閣總理大臣對於各省大臣的領導權限。除了內閣總理大臣失去了「統制監督」行政部門的權限之外，內閣權限分工明確化強調各大臣的職責，反而讓內閣總理大臣的權限變得曖昧不明。原本內閣總理大臣對於各大臣的選任握有實質決定權，但是，內閣總理大臣的權能被「內閣官制」所削弱，意味著將內閣總理大臣設定爲只是「同輩中的首席」。

從元勳內閣到政黨內閣

即使內閣制度並未明定首相權限，但初期內閣總理大臣的領導權仍受到一定程度的保障。這是因爲位居首相地位，也等於握有政權的共識廣爲認知，再加上在各行政機關的自主性尚未確立的狀況下，只要閣僚之間溝通良好，就能確保內閣的實質上連帶責任所致。此外，承擔政權的閣僚之間的同質性高，也是原因之一。

衆所周知，當內閣是由協助明治維新有功的元勳組成時，即使發生權力轉移或者是對立，這些人都了解彼此的性情，也因爲具有元勳威信，仍然能夠確保向心力。只要元勳之間具有共同的理解，即使憲法並未明確規範，國家運作也不會產生障礙。

然而，一旦元勳開始退場，就無法維持原先情況。加上議會，尤其是民選的衆議院逐漸發展，就難以無視議會權力而推動政治。起草具超然主義色彩憲法的伊藤博文本身，在一九〇〇年擔任政友會總裁，就是因爲看到政黨力量持續成長壯大，希望借用政黨之力尋求憲法所欠缺的政治整合能力。當然，在元勳之中，也有存在像山縣有朋那樣厭惡政黨、企圖在軍部或官僚制度中聚集勢力，並以此勢力爲基礎整合政治的人。

即使於一九一八年成立的第一個正統政黨內閣的原敬內閣，當時對於政權應該以什麼爲基礎去運作等問題，在衆多分立勢力中出現意見對立，原首相本人也在多方妥協之下才能組成自己的政權。例如，儘管原內閣欲以衆議院的政黨（政友會）爲基礎，也仍須致力於獲得「研究會」等貴族院議員團體的支持。此外，原首相也相當重視與在山縣影響力之下的官僚勢力合作、留意陸海軍的動向，甚至費盡心思地與宮中勢力維持良好關係。透過這些方式，證明政黨也能整合複雜的政治勢力，具備使政權運作無礙的能力。

之後，政黨的基礎逐漸獲得強化，當原內閣因首相原敬遭到暗殺而倒台，由政友會高橋是清組織政黨內閣之後，如果要改由非政黨內閣接任時，即因爲未具有政黨基礎而遭到輿論強烈批判。從經歷一九二四年五月衆議院總選舉選戰洗禮而成立的加藤高明內閣，到一九三二年內閣總辭的犬養毅內閣爲止，政黨內閣持續了八年之久，這段期間就是昭和初期所謂「大正民主」的政黨內閣執政時期。

因爲這類政黨內閣未必確保議會多數席次、並非透過衆議院總選舉結果組成內閣爲前提，再加上內閣權能受限等因素，無法稱爲議會內閣制。但是，即使與同時期的英國相比較，當時的日本政府具備朝向議會內閣制發展的政權結構。

然而，考量昭和初期的政黨內閣崩壞狀況，政黨內閣未具備法理正當性仍是一大弱點。確實，從實質上的政黨內閣延續、衍生出民衆對政黨掌握政權的一定程度期待來看，「政黨內閣制」可以說是成立了。然而，爲了穩定體制，必須具備政黨內閣制或議會內閣制才是正確的政權樣貌之共識。

兩種理論與權力分立問題

憲法學者美濃部達吉乃是支持政黨內閣制的理論家之一，他主張即使憲法條文不含內閣相關規定，也可以基於「內閣官制」規定加以擴充解釋，讓議會內閣制的實質運作正當化。這個理論主要根據「不成文憲法」的邏輯，即使沒有成文憲法規定，只要已經成爲政治慣例，就具有規範的意涵。也就是說，即使在議會內閣制的發源地英國（不具備成文憲法法典），議會內閣制也是根據憲法的習慣，並沒有明文規定的憲法條文。因此，即使日本的憲法內並無議會內閣制相關條文，議會內閣制也是可行的。確實，在政治運作上最重要的一點是，由於不熟悉法律條文，再加上不少重要問題並未予以明文化等原因，上述主張並不算是詭辯。

問題是無法將政黨內閣制淬鍊爲既定事實，再逐漸確立成憲法上的慣例。就算政黨內閣持續下去，只要對於政黨的敵意依然存在，政黨爲了擴張勢力而互相攻擊，就會失去支持，對於政黨內閣制的批評也會增強。此時，憲法中若未明文規定政黨內閣制或議會內閣制，就會成爲致命傷。

値得注意的是，強調權力分立做爲明治憲法解釋的意涵。東京帝國大學的上杉慎吉爲了與美濃部學說分庭抗禮，開設了憲法學講座。他師從穗積八束，提倡天皇主權絕對主義，但是，令人意外的是，他也有研究美國憲法，其主張具有強調權力分立的觀點。這就具有與美濃部所提倡具有英國風的權力集中議會內閣制相互抗衡的意涵。

一般來說，強調權力分立往往令人聯想到自由主義，但是，實際上若有強力的行政部門存在，議會對於行政部門的監督又不夠徹底時，其意涵就有所不同。在民主政治落實扎根之前的階段，權力分立論保障屬於天皇大權的行政權不受任何限制，可以成爲抑制民主化的手段。

針對明治憲法的解釋中，現在看起來較具善意的美濃部學說，在實際運用於憲政時，僅在菁英之間具有影響力；另一方面，現在似乎受到批評的上杉學說，因爲恪遵明治憲法的條文，一般而言比較容易被接受。透過憲法的解釋，賦予政黨內閣制正當性的嘗試，其弱點是難以獲得廣泛的支持。在美濃部的「天皇機關說」（在法律上，天皇也是國家的一個機關）這個在憲法學上無庸置疑的理論，遭受到以「國體明徵」運動爲名的攻擊時，就出現無法展開有效反駁的情況。

戰前的政黨內閣制，追根究柢的話，在一九二四年之後，最後的元老西園寺公望在提供天皇對於任命內閣首班的建議，是具有實際上的根據。在西園寺的「演出安排」下所成立的政黨內閣，則在一九三二年軍人發動恐怖攻擊政變的「五一五事件」下瓦解，無法恢復原樣。即使是西園寺也不具備保護政黨內閣的權威，加上如本文至今所述，無論憲法法典或慣例，都無法保障政黨內閣。

在政黨內閣瓦解之後，軍部勢力抬頭，雖然組織了軍部影響力強大的內閣，但是，這些內閣也同樣不是權力集中的型態。少了政黨這個「連接器」，政權運作要統一就不容易。往後，因內閣內部步調不一而導致內閣瓦解的情況仍持續發生，即使是具有獨裁形象的東條英機內閣，在決定日美開戰的過程中，也暴露出權力分散的問題。當各個大臣都要堅守自己立場，最終醞釀成毫無勝算也不得不開戰的氛圍，在責任歸屬曖昧不明的情況下，就做出對美開戰的決策。

明治憲法體制並非因爲權力集中產生獨裁者才瓦解，而是因爲缺乏決策中樞，導致領導者相互陷入無計可施的僵局，來不及做出突破局勢的判斷，並且在累積既成事實以致限縮選項的情況下，下達了對美開戰這個毀滅性的決定而走向瓦解。

3 何謂議會內閣制

權力集中的制度

爲了說明議會內閣制與內閣制的不同，前文稍微詳細敘述了戰前的內閣制。那麼，議會內閣制到底是什麼呢？這個問題意外地難以回答。這是因爲構成議會內閣制的要素有好幾個，必須全部具備，議會內閣制方能運作。加上議會內閣制的類型眾多，對某個國家來說不可欠缺的要素，也許並不是其他國家的必備條件。因此，反過來問「什麼不是議會內閣制」？這樣就能找出它的意義。

只看先進民主政治的話，政治體制可大致區分爲總統制與議會內閣制兩種。而在區分兩者時，最重要的一點便是「二元代表制」或是「一元代表制」。也就是說，在民主政治之下的總統制，會個別選出總統及議會，兩者皆具有正當性，故以二元方式代表民意。對此，議會內閣制則只有議會是經民主程序選出，內閣則是以議會的正當性爲基礎而成立，故以一元方式代表民意。由這一點來看，議會內閣制比總統制更屬於權力集中型的制度。

不過，有稱作「總統」的職位，不代表這個國家就一定是採取總統制。例如，德國及義大利雖然都有總統，但政治實權卻是掌握在首相手中，總統只是禮儀上象徵性的存在，這類型國家可以說是採取議會內閣制。此外，採取總統制的國家中，有時也會使用「內閣」一詞。例如，美國的內閣指的是以總統爲中心、聚集主要行政首長召開的會議。但是，這種內閣有別於議會內閣制的內閣。

那麼，議會內閣制中最重要的特質是什麼？那就是具有行政權的內閣，基於議會的信任而成立。沃爾特・白芝浩（Walter Bagehot）在《英國憲政論》（The English Constitution）一書中，首次提出邏輯性的說明。白芝浩解釋稱，英國政治中心是以議會爲基礎的內閣，而內閣則具有行政權。這本書出版於一八六七年，而當時英國早已擁有議會內閣制慣例的長久傳統，成爲屹立不搖的憲法習慣，可以說它是事後才「發現」英國議會內閣制的特質。議會內閣制並非刻意創造，而是透過長期政治活動而自然形成的制度。

不可或缺的政黨政治

雖說是依據議會的信任，但僅靠抽象理論是不行的。政黨政治的存在，是議會內閣制不可或缺的要素。在議會內閣制中，內閣獲得議會的信任，意味著支持內閣的政黨或政黨聯盟可維持穩定的議會多數席次。即使內閣成立當初，是因多數決而獲得信任，但是，如果沒有穩定維持政黨等多數席次的架構，會讓內閣基礎不穩固，導致政權運作困難。

此外，若以政黨政治爲前提，受到議會中多數派政黨或政黨結盟所支持的內閣，因政黨的議席是經選舉所獲得，對民眾而言，是具有正當性的。議會內閣制成長於民主政治尚未發展的近代英國，並且在十九世紀與民主政治一同發展，更與上述邏輯具有密切的關係。十九世紀以後，歐洲許多國家都以英國爲範本，依據各國情況開始採用議會內閣制。

就如同「議會內閣制」原本具有「由議會組成政府」的意涵一樣，議會所具有的意涵極大。議會內閣制會隨著議會的組成方式而大相逕庭。舉例來說，英國的議會主要由兩大政黨所構成，其採取的議會內閣制與中、北歐國家的議會內閣制，在實際運用上有很大不同。不過，即便有所不同，內閣或首相等行政權主體之存在根據是基於議會信任的這一點，則是各種議會內閣制的共通結構。

議會內閣制中，屬於民主政治的代表或代理關係具有連續性一事至關重要。也就是說，選民透過選舉選出國會議員（衆議院議員），讓國會議員成爲選民的代表，進而獲得其權限。其次，再由國會議員（衆議院議員）選出組閣者，也就是首相（內閣總理大臣），由首相組織內閣，獲得主導內閣運作的權限。首相爲了行使行政權，必須選任複數大臣（國務大臣），擔任內閣成員。到了這一步，各大臣才終於獲得以內閣成員身分活動的權限，但其權限則源自於首相。大臣各自分擔行政事務，此時會受到各省廳官僚的協助。在形式上，各大臣具有任命權，可任命官僚，但即使是因爲資格任用制度的引進等原因，使得大臣無法自由選擇官僚的時候，官僚的行動終究是仍源自於作爲大臣輔佐者的權限。

綜上所述，從選民到國會議員、首相、大臣、官僚等，這一連串權限委任的過程，可看出議會內閣制爲一元代表制，也是民主制度的一種型態。也因爲這一連串的過程而產生可能性，讓選民最後可掌控到官僚的行動。

4 偏離正軌的日本政治

自民黨長期執政衍生的誤解

只要仔細檢視日本的政治運作，就會注意到一個脫離議會內閣制基本原理的現象。

例如，在議會內閣制之下，國會議員、特別是衆議院議員的工作不僅只有立法而已。議員的角色扮演，可以分爲選出首相、協助內閣的議員，以及目標鎖定下任政權、扮演監督及批判角色的議員。整體來看，由他們建立起行政權，再加以適切地維持，也是議會的重要功能。因此，衆議院議員選舉除了具有選出適合立法工作者的功能外，更帶有爭奪政權的意涵。由於新聞媒體會將衆議院總選舉報導爲政權之爭，對一般選民來說，無論了解程度高低，多少都會意識到可以透過總選舉選出政權。

不過，實際上，在五五體制【4】成立之後，自民黨長期維持政權，即使選舉崩

【4】譯註：一九五五年起，日本長期維持自民黨為執政黨、社會黨為在野黨的局勢，被稱為五五體制。

盤，也幾乎不會發生政黨輪替的現象，亦即執政黨因選舉而更換。因此，眾議院總選舉的功能無法徹底發揮。也就是說，即使選民了解到可以透過總選舉決定執政黨，也往往難以聯想到總選舉與選擇首相有關。當執政黨很明顯爲自民黨時，首相有很大的可能性是由自民黨內的總裁選舉所產生，這個情況相較於經總選舉讓執政黨、在野黨輪替，進而選擇首相的過程，原本由選民選出眾議院議員，再由眾議員選出內閣總理大臣的權限委任，其間的連鎖關係也變得薄弱。

實際上，因爲長期以來都是由自民黨執政，首相是經自民黨黨內總裁選舉產生，而非眾議院總選舉，也因爲這個現象已成爲常態，導致「議會內閣制中，首相的選任與選民無關」這個誤解漸趨普遍。雖然透過「派閥力學」產生首相一事成爲人們的閒聊話題，但大家卻忘了民主政治中首相選任的意義，因而讓議會內閣制原理的錯誤解釋廣爲流傳。

然而，被選爲首相的人，基於其身爲最高掌權者的責任感，讓他們大多由原本只在意自身利益及派閥利益的心態，轉爲關心國家利益的實現。雖然對議會內閣制的誤解相當普遍，卻有很多首相具有「爲國民服務」的精神，也是令人意外的事實。只是問題並不只是這樣而已，因爲眞正的問題在於，各省大臣與首相之間的關係。

誠如前述，各大臣的權限是來自於首相的任命，因此整個政權結構具整體性，並以連帶責任制的原理運作。不過，在自民黨長期執政下，由首相選任大臣的原理變得曖昧不明。因爲各派閥會以當選次數爲依據，提供首相或預定擔任首相的人一份入閣名單，依照慣例，首相原則上也會從名單中挑選大臣。當然，要挑選誰入閣仍是以首相的判斷爲準。但是，當選次數多寡成爲入閣的基準，如果又能夠獲得派閥推薦，入閣就變成了一種「權利」。此外，因爲加入派閥推薦的條件，也讓前文所提到，形同在議會內閣制權限委任的過程混入了雜物。總而言之，入閣的大臣並不是爲首相工作，而是爲派閥服務。

因此，就會出現大臣擅自做出不同於首相意思的行爲，或囿於派閥的力量而讓不適任者擔任大臣的問題。此外，爲了將大臣職位分配給其他議員，遂頻繁改組內閣，產生了原則上一年更換一次大臣的慣例。此舉將會大幅制約完成大臣工作的時間，也讓大臣喪失累積經驗以歷練做爲適任大臣的機會。也就是說，形成「素人政治人物輪流擔任大臣」的情況，阻礙了大臣採取主體性的政策作爲。

在這情況下，大臣不是扮演掌控官僚的政權主體，而是按照官僚所安排的程序或措施依樣畫葫蘆地採取行動，也就不足爲奇了。即使並非如此，仍有許多大臣忘了議會內閣制的權限委任關係，在被任命的霎那間，就擺出自己身爲所轄省廳領導人架子的人也變多了。

對於「國務大臣」的誤解

從其他層面來看，「國務大臣」的稱呼也是有問題。其實，日本國憲法的條文中，只有國務大臣的規定。因此，每位大臣雖然都是內閣的一員，也就是國務大臣，但卻很少使用「國務大臣」的稱呼。不僅如此，筆者還曾聽聞過有某位大臣主張「自己是某某大臣，不是國務大臣」的話。也許是因為組閣時的媒體報導，常以國務大臣來稱呼僅主管特定業務的內閣府大臣，而非各省大臣，讓人產生國務大臣地位比各省大臣低一階的印象。總之，這些現象顯示出大臣就是「分管行政工作的政府機關首長」的認知，早已根深蒂固。

當然，大臣分擔工作才會更有效率。工作本身並沒有問題，但若只有身為機關首長的意識過於膨脹，逆轉議會內閣制的原則，讓大臣成為省廳官僚制的代理人。這麼一來，內閣就會從以首相為中心、團結一致的合議體，質變為各自擁有否決權的大臣所組成的合議體，讓議會內閣制陷入功能不全狀態。

若著眼於此現象，也可效法松下圭一[5]，將聚集以官僚為主的省廳代理人之「官僚內閣制」一詞，用來稱呼以議會為基礎的議會內閣制。

如此議會內閣制的質變，有時會顯露出嚴重問題，也就是政府內部最後決策主體變得不明確，無法做出必要的決定，政權基礎也變得不穩定。實際上，日本國內對於議會內閣制的批評，也大多是針對官僚內閣制的問題而提出。

5 內閣總理大臣與分擔管理

憲法規定的總理權限

檢視議會內閣制的原理，從議會選舉首相這一點來看，其正當性的連鎖關係即可明確地顯示出最高決策權者爲首相。因此，從十九世紀到二十世紀前半期之間，議會內閣制逐漸發展爲以首相爲主的內閣形態。一九四七年實施的日本國憲法規定，也規劃爲以「強力首相」爲主的議會內閣制。

單看日本國憲法的條文，內閣總理大臣是握有極大的權力。第六十五條規定「行政權屬於內閣」，以及第六十六條規定，內閣是「由其首長內閣總理大臣與其他國務大臣所組成」，都明確地訂出內閣總理大臣的地位。其次，內閣總理大臣除了任命國務大臣以外，「得任意罷免國務大臣」（第六十八條第二項），這也是明確化國務大臣爲內閣總理大臣代理人的條文。總之，日本國憲法中的內閣總理大臣並不像戰前一樣，僅爲「同輩中的首席」。

【5】譯註：知名的日本政治思想家丸山真男的學生、日本法政大學教授（二〇〇〇年退休），曾任日本政治學會理事長、日本公共政策學會理事長。

而且，值得注意的是，國務大臣的職權僅有第七十四條規定，以「主管國務大臣」身分簽署法律及政令，而第七十二條則規定「內閣總理大臣代表內閣，向國會提出議案、報告一般國務及外交關係，並指揮監督行政各部」。尤其是針對指揮監督行政各部門的相關規定，也可多加注意。因爲，如果擴大解釋這個條文，可以把綜理一般行政事務及國務等較抽象的內閣職權規定，解讀爲內閣總理大臣被賦予指揮各省廳官僚從事行政業務的職權。實際上，每一位國務大臣似乎是理所當然地指揮監督各省廳，但在憲法條文上，並未賦予大臣如此職權。

關於這一點，在日本國憲法制定之際，當時占領日本的聯合國總司令部也曾以此解釋爲基礎，除了組成內閣的國務大臣以外，也打算在內閣總理大臣之下設置行政長官（各省大臣）職位。當時欲設計成在內閣總理大臣之下，執行行政事務的體制。這個做法不僅有改造戰前日本較分散的內閣結構之意，也是全球前所未見的架構，卻因日本的強烈反對而未實現。無論如何，這也是在日本國憲法制定時，內閣總理大臣地位極爲強大的例證。

內閣法的限制

然而，在內閣實際運作上，卻重現戰前體制中，內閣總理大臣爲「同輩中首席」的形式。舉例來說，依照憲法制定的內閣法，對於內閣權限規定較爲分散，如同戰前的內閣官制一樣。例如，內閣法第三條規定「各大臣依據他法所規定，以主任大臣身分，分擔管理行政事務」，並未區別內閣總理大臣與國務大臣，僅規定「各大臣」的「分擔管理原則」。

進一步解釋這個原則，會發現憲法中內閣總理大臣的職權受到極大限制。例如，內閣總理大臣也僅是分擔管理大臣之一，只擁有過去的總理府首長、現在的內閣府首長的職權，除了例外情況，基本上無法行使對各省廳的指揮監督權。意即各大臣各自具有行政責任，並分擔內閣的職務，結果卻產生內閣總理大臣幾乎不具權限的奇妙狀況。

一直到不久之前，在上述解釋之下，內閣總理大臣極少在內閣會議中提出議案。在橋本行政改革【6】之際，甚至還特地加入「內閣總理大臣可針對內閣重要政策相關之基本方針及其他案件提出議案」這段（第四條第二項）。身爲內閣首長，也是內閣會議主持人的內閣總理大臣，竟然無法提出議案，想必是憲法也想不到的情況吧。

此外，各省設置法也仍然留有濃厚的戰前體制特性。當日本國憲法制定後，爲

【6】譯註：一九九六年，橋本龍太郎內閣所實施的行政改革。

建立新的行政體制，國家行政組織法也在內閣法之後整備完成。但是，當時不喜歡依據國家行政組織法制定各省設置法的順序，才先行制定各省設置法。因此，直到二〇〇一年的改革前，各省組織有許多部分並未統一。

在如此「強大分擔管理原則」之下，內閣等於是各自擁有獨立地盤的大臣們聚集之處。如此一來，就讓原本受選民付託的議會內閣制原則變得薄弱。由身為官僚組成的省廳代理人身分的各省大臣集合在一起的「官僚內閣制」，有很大一部分要歸咎於分擔管理原則。

6 空洞化的內閣會議

事前疏通與一致同意

最近大家逐漸發現，內閣會議儼然像是一堂「書法課」。在內閣會議中，只需要事後追認各省廳官僚早已事先疏通、交涉完畢的案件，大臣們的主要工作也只有在法案、政令上簽署日本自古以來的特殊簽名方式「花押」而已。將硯台放在旁邊，每人手執毛筆默默地簽名，就成為內閣會議時的特有畫面。

當然，只要各大臣有參與事前意思疏通的交涉，前述的決策過程就不會感到奇怪。不過，內閣會議作爲政府整體的調整、決定方針的場所，未能發揮應有的功能，問題就很大。如果由大臣們相互討論、由高層解決問題，即可下達具有政治性的判斷，但是，如果僅由官僚階層負責協調，也僅止於微調罷了。

內閣會議之所以會有如此狀況，有其背景與原因存在。因爲內閣必須負起連帶責任，會議的決議當然要全體一致。以日本國憲法來說，內閣總理大臣會挑選與其基本想法相近的國務大臣組成內閣。如果希望將意見統一在內閣總理大臣領導之下，那麼全體一致的決定也不會有什麼問題。在遇到較爲極端的情況時，爲了統一內閣所有人的意見，內閣總理大臣甚至可「任意罷免」國務大臣。在此前提下，各個國務大臣即使一開始意見有所不同，最後討論結果也應該以全體一致的方式做出決定。

全體一致的決定會出現問題，就是在閣員們各自堅持己見，而且沒有改變其決定的權威存在。誠如前述，戰後日本內閣制的運作，正是把內閣視爲以各省廳代表人的大臣聚集場所。因此，即使在內閣會議展開討論，也根本不可能凝聚所有大臣的意見。因爲被要求最後結果必須全體一致，如果讓每個人自由發表意見，一定會有閣員認爲，只要堅持己見，多少也能獲得他人讓步。這麼一來，事先協調、擬定妥協內容，再依照此內容與全部大臣或省廳達到共識後，再向內閣會議提出案件，就成爲將案件提交內閣會議決議的必要條件。

而在內閣會議召開之前，協調所有人共識的一環，便是在會議前一天召開的事務次官會議，依照慣例只有在這個會議上未遭到反對的案件，才能成爲內閣會議的議題。也因此，事務次官會議的存在，屢屢被批評爲官僚支配的象徵。但應該了解的是，事務次官會議本身並沒有問題，而是內閣或是內閣會議的性質遭到誤解，才是最大的問題。若不改變問題的根本，即使廢除事務次官會議，也不會改變實際狀態。

另外，也有一些折衷意見認爲，可以把內閣會議改爲多數決制。不過，在承認與議會內閣制相悖的官僚內閣制原則情況下，這種折衷的改革方案只能多少加快決策速度，無法根本性地解決問題。一旦認可官僚內閣制的原則，各省廳就會變成把大臣當作代理人、可以行使否決權的機關組織。這麼一來，就算是總理大臣，也難以隨自己想法左右內閣。

例如，展開大規模行政改革的橋本龍太郎首相，雖然是一位想要努力建立內閣主導體制的政治人物，但是，正因爲他具有豐富的行政體系知識，卻反而受到官僚內閣制的束縛。

一九九七年夏季的行政改革會議上，有人主張回到憲法第七十二條規定，以期削弱分擔管理原則，卻有人認爲，這是內閣總理大臣的直接指揮監督權（內閣法第六條）的問題，並表示：「直接指揮監督是有問題的。如果在遇到危機時，由首相直接指揮，卻遭到其後的內閣會議否決，將會變成怎麼樣？正值危機之際，首相卻必須辭職以示負責」。接著，有人質疑不是可以依據憲法規定罷免反對的大臣時，據說有人回答稱：「即使罷免了反對的大臣，如果繼任的大臣又再次反對的話，內閣會議的結論也不會改變」。這就是顯示如果承認大臣是省廳代理人，機動性的內閣運作就會受到根本性地制約的例證。

7 官僚內閣制的束縛

議會內閣制的本質

若不確實理解議會內閣制「議會」的意義，就會忘記議會內閣制乃是透過議會接受國民的付託、執行行政工作的架構。議會內閣制被視爲只是單純的內閣制，並且與源自於戰前的「官僚內閣制」傳統糾纏不清。此外，也不會注意到，議會內閣制擁有選民透過總選舉選擇政權的民主基礎，議會的多數派在議會任期結束前，可以審酌狀況的變化，而自由自在地變化、展開有活力的政治。雖然美其名爲「議會內閣制」，卻把它當作「官僚內閣制」，甚至認爲「只要是議會內閣制，首相就無法發揮領導能力」。

此外，令人擴大誤解的是，區別使用「政治」和「行政」用語。講到政治和行政，令人分別聯想到國會議員等政治人物與官僚時，這是沒有問題的。不過，也有與政治、行政相關聯的立法權、行政權的用語。若將政治、行政用語與立法、行政重疊使用，就會變成政治人物負責立法權，而負責行政權的主體爲官僚。但是，這就和議會內閣制的原理有所不同。

在議會內閣制中，政治人物組成立法機關，同時立法機關的政治人物（國會議員）中，有一部分（執政黨幹部）構成了行政機關的高層。也就是說，不管是立法機關或者是行政機關，其主體都必須由政治人物所構成。而政治與行政的對比，則屬於行政權內部的不同分類。

決定行政機關的方針，是大臣等政治人物的工作。在實際執行行政工作時，根據法律之下的平等原則，由不具黨派特性的官僚負責就變得相當重要。行政的政治中立等原則正是在此場合發揮作用，在民主政治之下，行政權本身在政治上並不是中立的。

綜上所述，內閣以官僚內閣制方式運作時，會產生的問題在於決策中樞空洞化，只能提出拼湊式的政策。我們將在下一章仔細地檢視其實際狀態。

Chapter 2

省廳代表制

前一章所舉的「官僚內閣制」用語，可能會造成官僚「支配」政治的誤解，但是，事實並非如此。因爲官僚並不是鐵板一塊的團體，他們必須在與各種社會集團的網絡中工作，並受到這些關係所牽制。

過去廣受讚揚的「日本株式會社論」，似乎將中央省廳的官僚描述成爲日本經濟的司令部，但是，這種說法與事實不符，已是人盡皆知的常識。正因爲日本得天獨厚的環境與民間企業的努力，日本經濟才有如此發展，官僚的功用也僅是導致此結果的部分因素罷了。

最近提到對於官僚的批判，大多會認爲官僚的本位主義有問題，也是因爲大衆相當清楚，並沒有如「日本株式會社論」或「官僚支配論」所描述的一樣，有相當強大且團結的官僚制存在。至於各省廳與業界不當的緊密關係受到批評，也是很久以前就有的事情了。而本章主要目的，便是在思考這些官僚制的結構，以及官僚制與社會的關聯性。

1　日本型多元主義論與官僚制

作爲節點的官僚

在一九七〇年代中期以前，日本政治學界針對權力結構的研究中，與官僚支配論關係緊密的「政官財三位一體支配結構論」相當普及。但是，隨著對於該時代的政治過程研究的進展，否定了鐵板一塊主導團體的存在。

到了一九七〇年代後期以降，許多研究者以不存在統一的主導團體爲由，開始將日本政治定義爲日本型多元主義。這是源自於美國政治學中，以不存在鐵板一塊的主導團體爲根據，將美國式民主政治描述爲「多元主義」（pluralism）一詞。

在美國方面有一種看法認爲，人們會自發地形成利益團體，而多種利益團體活躍後會出現相互牽制的現象，從中期來看，利害關係會在政治舞台上尋求平衡。總之，多元主義論得出結論認爲，活躍的利益團體活動，可以引導出民主。

多元主義論曾盛行於一九五〇年代，但是到了一九六〇年代，出現了否定的看法。例如，許多利益團體會對政治、尤其是聯邦議會產生影響，在此過程中出現了利益團體與政府相關行政部門擁有緊密關係的「鐵三角」理論。此觀點認爲，活躍的利益團體，反而會造成既得利益者，進而扭曲了政治。

接著，回過頭來看看日本的狀況。一九八〇年代的日本政治學界，與企圖拂拭戰前戰後連續論帶來了「落後日本」形象的時代思潮相結合，因而讓多元主義論盛行起來。也有人主張，美日兩國同樣出現多元主義論的背後原因，在於日本與美國同樣是民主國家。

確實，從民主政治的落實紮根角度來看，日本也具有一定程度的民主政治歷史，要永遠堅持支配階層透過「政財官」掌握一切的看法是不可能的。因此，否定鐵板一塊的主導階層的存在，是有道理的。

但是，問題在於美國與日本的多元主義有極大的差異。日本方面，在多元主義之前加上形容詞，如「分裂的多元主義」、「官僚主導大衆包括型多元主義」、「型態化的多元主義」等名稱陸續被提出。

這類加上形容詞的多元主義論顯示出，日本不像美國那樣可以自由組成利益集團，利益集團雖然歷經消長也沒有成爲政治主角。總而言之，在日本政治當中，政治活動舞台的主軸終究是被設定在省廳圍牆之內。日本型多元主義論雖然主張官僚主導減弱、政治人物的重要性持續加強，但是，仍然無法忽略官僚制的重要性。

這樣看來，日本型多元主義論也不得不承接戰前戰後連續論中，對日本政府「割據性」的批評。所謂割據性，指的是本位主義（sectionalism）。總之，是對日本政府內部各省廳相當零散、無法採取統一行動的批判。

雖然，戰後第一世代的研究者將這種割據性視爲日本官僚制的病因，但是，日本型多元主義論反而認爲，這是日本民主政治紮根的證據，觀點完全不同。

此外，日本型多元主義論認爲，日本官僚制並非封閉性的存在，而是具有深深紮根於社會的一面。日本的行政學中，也有強調官僚制沒有辦法單獨自行解決問題，反而是在連接社會各集團間節點上扮演橋樑角色。

就這一點來看，「官僚內閣制」並非單純地只是內閣照著官僚的意思行事而已，而是要著眼於官僚雖然各自獨立地分配在各省廳，也有對社會開放的一面。官僚集團與相關社會集團關係緊密，也具有各自的利益媒介路徑。

那麼，省廳官僚制中最基本的單位，也就是外務省或者是農林水產省等各省廳的組織與官僚，又具有什麼樣的結構呢？

2 日本官僚制的特質

人事自主性

日本各省廳有一個特徵，亦即相較於其他國家的中央政府，日本各省廳的變化非常少。首先，日本已有很長時間未實施大規模省廳改組。從戰後，省廳體制改造隨著盟軍占領期間的改革而啟動，雖然設置了幾個新的公務部門，但是，直到二○○一年實施「橋本行政改革」的省廳改組之前，相同的體制已經維持了超過半世紀之久。

近年來，雖然日本官僚制已出現變化跡象，但是，其具備值得深究的特色，至今也大致維持不變，在此欲檢視戰後維持至今的日本官僚制的基本結構。

首先，最大的特徵就是官僚在人事上的自主性。各省廳官僚在決定個別人事時不需要經由外部指示，而是由各省廳自行做出實質的決定。現代官僚制廢止了由政治人物分配職務給偏好對象的「獵官制」（spoils system）採用公務員必須擁有資格考試及格等一定資格的「資格任用制」（merit system），並大幅限縮政治人物的人事權。不過，日本的官僚可依照自身所屬機關狀況，決定幾乎所有人事的情況亦屬罕見。直至近年，各省廳官僚幾乎都能成功排除包括擁有任命權的大臣在內的大部分政治人物的介入，自行決定人事任用。而且，這種官僚人事已具有高度制度化，無法輕易被破壞。

衆所周知，中央省廳公務員分爲被稱爲「國家公務員綜合職考試及格者」[1]、「有資格者」的高級官僚，以及前者以外被稱爲「一般公務員」、「一般職員」。一般被稱爲「官僚」者，大多是指前者。兩者的差異不只如此，就連雙方的人事任用，也是分割爲各省廳、局等基本單位，各自在基本單位內穩定運作。加上普遍被誤認爲國家公務員法嚴格規定「公務員的身分保障」，導致公務員的世界中，原則上不要說是解僱，就連降職等情況都幾乎不存在。就算升遷速度略有差異，也仍屬於具有一定程度的年資升遷體系。

將這些人事基本單位假設爲一個「人事單位」，即使只看綜合職考試及格官僚，也沒有一個人事案需要經過全體省廳才能通過。當然每個人事案會依各省廳劃分，除了各省廳的綜合職考試及格官僚的人事單位以外，一般來說，因應不同職種，也有技術職的人事單位存在。

以國土交通省爲例，行政官僚就包含了舊建設省體系、舊運輸省體系各自的人事單位，而舊建設省體系及舊運輸省體系各自又有其技官團體存在。舊建設省體系的技官團體包含道路局技官、河川局技官、下水道技官等。與其不同的是，舊國土廳體系官僚則整合了原有的行政官僚、技官，組成新的團體。經省廳合併等政策促進人事單位間的交流、融合過程中，也可能導致人事單位的變化，在被稱爲高級公務員的官僚之間，也有各種人事單位存在。

如此地以各個省廳爲單位劃分，或者是還存在著區分更細的人事單位，被強烈批判是造成官僚本位主義的原因。

國家公務員法制

不過，著手處理官僚人事並非易事。例如，行政官僚與技官的區別、綜合職考試及格公務員與非綜合職考試及格公務員的差異等，就完全沒有記載在國家公務員法內。實際上的人事架構，也都是延續之前的慣例，並未明確規範於法規中。相對的，若考量國家公務員法制定時的背景，這些慣例更與法律宗旨大相逕庭。因此，修改國家公務員法，並不代表就能馬上調整公務員制度。即使修改了與現實情況差

【1】譯註：日語「キャリア」（career）係指參加日本中央政府公務員考試的「綜合職」類及格者，被稱為「キャリア」國家公務員，及格者大都是東京大學等名校出身，「一般職」類及格者被稱為「ノンキャリア」（noncareer）的一般公務員。前者的工作大都涉及國家預算編列、法案或政策制定等領域，與大臣或國會議員有密切聯繫接觸者，優秀人員最高可升遷到事務次官或局長等高階職位。後者的工作大都屬於例行性業務或法體制的整備等，職務升遷上遠不如前者，能夠升遷到課長級已是相當不容易。

異甚大的法律制度，是否能眞的改變現行慣例，也是令人懷疑的。

國家公務員法，乃是在戰後盟軍占領時期推動改革的產物。盟軍要求制定這些內容的動機相當明確，就是爲了斷絕戰前政黨內閣時期高度政治化的官僚制傳統，讓帶有特權的官僚制民主化，並轉型爲依據專業能力任用的官僚制。因此，當時預計導入「職階制」（position classification system），具體規定公務員各職等的職務內容，並明列出執行職務時的必備能力，且可隨時任命適任者。職階制和目前也持續採用的官僚人事制度完全不同，否定了包括進入省廳時的單位劃分就跟著該員一輩子，或者所有人必須一同實行人事異動，在內部不斷升遷等過往的習慣。

因爲這個改革方案過於躁進，受到當時官僚的強烈反彈，並且消極抵制。其他的戰後改革，即使僅是虛有其表，卻也仍然照常實施。但是，新的國家公務員法僅止於制定，並不具有實際效力。例如，以研究如何明訂職務內容爲由，升遷規定的制訂，也因人事運作上與官僚制實際情況正面對撞而被擱置，並持續沿用過往的人事慣例，以作爲「解決當務之急的措施」。

此外，政府也設置了新的中央政府人事機關的人事院，除了研究職階制之外，也負責處理國家公務員的待遇、勞資關係。但是，因爲官僚的人事體系並未更換，即使設置了在新架構運作的人事機關，也無法發揮預期功能，人事院因而常常遭到行政機關的孤立。

因此，現代日本的官僚人事制度問題，在於形式上與實質上的差異。因爲，幾乎所有實務都依據非正式的制度在運作，不僅外界難以理解，也難以意識到問題存在而著手推動改革。

首先，官僚人事的主體曖昧不明。法律上具有任命權的人是負責各省廳的大臣，但因受到資格任用制的牽制，任用條件必須經過嚴格解釋，大臣難以自由實行個別人事任用。例如，即使要實行某個人事案之前，必須同步完成包含前任者的調職單位、新任者的選任、補齊新任者的原有職缺等一連串事務。因此，大多只能依循官僚部門所製作的人事案進行，導致省廳的人事多仰賴官僚組織自行處理。像這樣，包含官僚的身分保障、降職等處分限制，以及一同進行人事調整等各種慣例，與官僚本身實行人事案等看不見的原則互相結合而保留下來。

綜合職考試及格行政官僚人事

那麼，人事晉用的過程，實際上又是如何進行的呢？若以綜合職考試及格官僚爲例，大部分人員在大學就讀期間，就會先考取公務員考試，職務則以法律相關領域爲主，亦包含經濟、行政等領域。各省廳會從這些考試及格名單中，決定晉用名單。錄取者在大學畢業後會立刻進入各省廳工作，而以入省廳時間區分的「期別」，則是後續人事程序中的基本要素。也有些受到人事承辦人青睞的優秀新人，會被分派到特定單位（大臣官房[2]總務課等），但是，入省初期，同期之間的待遇大致相同。大家都會從見習工作做起，之後逐漸開始負責較實質的工作。擁有較多人員的單位，爲了讓新進人員熟悉整個現場的工作，初期的人事異動相當頻繁。例如，進到警察廳的新進官僚，會在第一線經歷各種不同階級的晉升，可能一年晉升的幅度，就是一般警察必須花上一輩子才能達到的晉升程度。

年輕官僚在多方經驗累積後，會在三十歲以前當上股長級職位，體驗底層幹部的工作。爲了累積不同經驗，官僚除了在霞關地區[3]的自身所屬單位以外，也會借調至地方政府工作，或者是獲得海外留學機會，累積在地方部門工作的經驗後，也可能透過人事交流借調至其他省廳任職。過去大藏省[4]官僚在將近三十歲時就能當上稅務署長，「訓練其立於他人之上」的習慣，也是此時期人事培養的一環，但是，卻也是備受批評的對象。

如上所述，新進官僚約以兩年爲單位更換不同職務，累積經驗後，當上原本所屬單位的助理課長後，才是官僚生涯正式展開的時期。雖然權限集中於幹部的省廳，與權限分散至各部門的省廳有所不同，但是，遇到要處理重要案件時，往往要廢寢忘食，每天工作到深夜，以制定出具體政策內容的人，大都是助理課長。

在進入省廳十年到十五年後，就能明顯看出每個人的能力好壞，同期入省廳者之間會開始產生微妙差異。雖然近期有些變化，但是，過往入省廳年次相同的同期者，大多會在六月至七月間的統一人事異動中，一同晉升至職級相等的職位。不過，即使同爲助理課長，也分爲負責重要案件、受到矚目的重要職位，以及非負責重要案件的職位。若分派到重要職位，並且被認可爲能力不錯的人，下一次也會被分派到重要職位。只要能在這樣的架構中證明自己的能力，就能逐漸看出同期中誰最有機會出人頭地。

局長是成功的證明

由此看來，每位官僚的升遷，在表面上看來，並沒有過於明顯的差距，到了擔任課長的年齡，只要人事名額較爲寬裕，綜合職考試及格官僚的同期之間，所有人幾乎都在幾年內就能當上課長。只不過，當上課長之後，越接近人事金字塔頂端，

【2】譯註：相當於我國部會首長的秘書單位。

【3】譯註：「霞關」（霞が関）是日本中央省廳所在地區，位於東京都千代田區。日本人通常以「霞關」一詞，代替中央省廳。

【4】譯註：「大藏省」相當於我國財政部，現稱為財務省。

職位空缺數就會越少，當然無法所有人都晉升。因此，必須要有所區隔。儘管有些官僚明明距離退休還有很多年，卻會被「拍拍肩膀」、成爲被建議提早離職的對象。當然，若官僚在退休前就被要求離職，省廳會替他們準備好第二春的再就業場所【5】，包括民間企業，以及各種特殊法人機構、相關團體等，都是這些官僚空降再就業的處所。

到了近期，因省廳之間人事交流有其必要，除了積極要求官僚至其他省廳任職以累積經驗之外，也爲了減輕升遷壓力，有不少情況是以最後會回到原本省廳爲前提，轉調至相關團體或者是轉到大學任教，但人事上的基本結構仍然不變。

即使當上課長後，若能歷練過重要課長的職務經驗，例如，「官房三課長」（總務課長、人事課長、會計課長，其名稱依各省廳而異）的官僚，就等於踏上了平步青雲的康莊大道。在晉升之路生存下來的官僚，會在審議官或部長【6】的階段經選拔而升任局長。對官僚來說，局長就幾乎等於是最高職位，只要能走到這一步，代表其官僚生涯達到頂峰。

當然，也有官僚在經歷局長後，還會再往上升到各省官僚最高職位的「事務次官」。但是，通常同期者之間只有一人能當上事務次官，若次官任期超過兩年以上，下一期的官僚也就無法當上次官。此外，也有如果同期官僚升任次官，其他人就會離開原任職省廳的慣例。這也意味著同期者之間的升官競爭，以及在該省廳的官僚生涯已經結束。

一般而言，官僚的人事晉升，大都屬於論資排輩的年功序列制。若從統一晉升的慣例，或者是著眼於狹義上的薪資層面來看，確實存在著年功序列制。但是，在晉升到局長等級之前的長期競爭中，也是存在著人才遭到淘汰的激烈競爭。其次，只要升任到審議官級以上，也就是所謂的「指定職」職位，其薪資就會大幅提升。其後空降再就業的職位，也會依據離開原單位時的職位爲基準。因此，同期高等考試及格官僚之間，在課長級就離職轉任者，與曾擔任過事務次官才離職轉任者的薪資待遇就有極大差異。換句話說，離職轉任雖然是生涯最低的生活保障，但也存在著因待遇落差而引發的競爭。

以上簡單介紹的綜合職考試及格官僚晉升之路較爲亮麗，相對於此，技術職官僚的頂點職位較低，晉升也較緩慢。而夾在兩者之間的專門職業的人事單位晉升就更加緩慢，一般職考試及格公務員雖然無法晉升到高階職位，被拍拍肩膀暗示提前離職的可能性也相對少很多，卻也不是意味著競爭不激烈。人數衆多的一般職考試

【5】譯註：日語原文為「天下り」，意指日本中央政府公務員離職或退休後，空降至與原服務機關關係密切（受其管轄、指導）的民間企業或獨立行政法人、特殊法人機構再任職者。

【6】譯註：次於局長的職稱。

及格公務員之中，較爲優秀的職員也可能受提拔成爲中階管理職，其中的競爭也是相當激烈。

日本的官僚制就是在這種人事單位區隔之中、相互競爭的官僚集合體，傳統的省廳架構，則是彙整人事單位的基本單位。

「省廳聯邦國家日本」

省廳的架構是以人事爲基礎，並在預算、組織運作手法上，各自主張其自主性。因此，就像公共事業各領域的預算比例長期以來相當固定一樣，省廳內部也具有維持各局的預算額度與其運作手法的強大力量在運作。

以預算來說，基本上每年皆以「漸進主義式」地編列爲主，僅有些微增減調整。要確保預算以延續到下一次的預算編列，就會出現確保自身的預算不被減少、多少也要增加一點預算爲優先的動作。這也是官僚制最常見的特性，不管在哪個國家都是如此。不過，接下來談到的日本省廳管轄權限問題，因爲具有極重要的意涵，各省廳爲確保各自擁有的權限，亦即所謂的「權限爭議」之爭奪，出現越來越嚴重的傾向。

一旦演變至此，只會讓各省廳更專注於確保預算額度、權限等目標，反而不在意工作內容，甚至出現不在乎取得預算後的用途及權限如何行使等，種種本末倒置的現象。這是因爲在分隔各省廳的高圍牆之中，只要是在已經確保的職務範圍內執行的工作，就會自動成爲政府的決策，也不會出現競爭對手，只要沒有特殊醜聞出現，就不會遭到批評。這樣的結構衍生出上述現象，也凸顯出省廳割據性的毛病。

因此，我們也可把日本政府視爲「省廳聯邦國家日本」（United Ministries of Japan）。形成官僚內閣制心照不宣的前提，便是以省廳爲主體的政府結構。只要省廳官僚制可確保各自的自主性，整個政府就會呈現出類似聯邦國家的樣貌。

3 堆積木式的決策

政策形成的過程

在各省廳中，政策是怎麼樣形成的？當然，政策的形成模式因政策種類而異，在此介紹幾個典型的案例。

首先，出現必須研擬新政策的狀況時，會收到來自各方面的資訊及需求。例如，大臣對特定政策感到興趣，進而委派官僚立案草擬新政策，或者是關注該議題的國會議員提案等情況也不少。不過，各省廳內的綜合職考試及格官僚大多對新政策的立案感到有成就感，也爲了獲得更多的預算，會將施行新政策視爲必要作業。因此，省廳內經常會出現新的政策、政策變更的意見。當出現事故或事件引發社會的關心度上升，因而出現要求變更政策或新政策等意見時，新政策也會被立案提出。

通常這種時候，「管轄」相關政策領域的部門負責人，例如，主管課的課長大都需要提出說明，讓高層了解新政策的必要性。當然，各省廳幹部也會對此先在省廳內部凝聚共識。若大臣與官僚關係不錯，大臣又相當關注政策時，即使在政策萌芽初期，也會向大臣報告狀況。此外，與該省廳關係密切、具有影響力的「族議員」【7】，也會提前告知該議員目前研擬政策的狀況。當該案件具有一定程度的重要性，則會召開各種正式、非正式會議，以確保內部對於政策的基本方向有大致上的共識。

在上述前提之下，才會正式展開具體的政策立案。當然，若省廳內部出現對立意見，或相關政治人物、各社會團體的意見紛歧時，則會先行彙整多方意見。此時最重要的是，由哪個部門負責立案等協調工作。幾乎所有案件都會以案件管轄的省廳局、課的方式配屬到省廳體系中的特定部門。尤其是比較新的案件，被認定是管轄的省廳會臨時設置準備室等組織，召集負責立案作業的官僚參與。

當新政策是屬於較具吸引力的種類時，就會有多個省廳表示興趣，此時會在感興趣的省廳內各自設定負責部門，並各自提出該省廳的政策。在這種情況下，就不難想像未來的權限之爭。

稟議制論與協議共識

關於日本官僚制的決策，過往行政學中曾有所謂「稟議制」論的說法。「稟議書」是日本官僚在簽辦公文時的文書，從承辦的下級單位依序向上簽陳或會辦至上級單位，所有看過公文書的人，會在文件上規定的欄位蓋下核可。「稟議制」論就是著眼於此一行政事務流程，主張政府機關的決策就是利用這種公文會簽的「稟議」來實施。對此，有官僚反駁稱，確實存在著「稟議書」這種簽文，但是，在簽文送出之前就已完成決策，簽陳程序只是單純的事後行政程序。也因爲與實際情況不同，相關的論述就退燒了。

然而，稟議制論對於決策相關的批評中，也有值得注意的地方。因爲透過稟議制的決策過程中參與者太多，以致責任歸屬不明確。再加上需要許多人的核可，

【7】譯註：精通省廳特定的政策領域、又具有影響力的國會議員。

也被批評決策過程太過耗費時間。

確實，透過稟議書決策的想法過於形式化，似乎與現實情況不符。但是，稟議制論提出一點值得注意，亦即，在決策後的行政事務處理過程，仍然需要許多參與者蓋章承認，此意味著至少在「正式決策」時，仍須經過「相關人士」的同意。這意味著金字塔型組織預設的決策方式，也就是上級單位自由取捨選擇決定是否將下級單位的提案列入正式決策的順序，並未被列入決策時的考慮。

此外，稟議制論雖然提出由下級主管單位負責起草案件的解釋，但是，即使不可能不與上級單位討論就起草政策，誠如在公部門流傳「草案占有七分之利」所言，負責起草的主管單位占了有利地位。從這一點來看，稟議制論所發現的行政程序，即是從官僚體制內部的角度證明了日本官僚制決策權限分散的傾向，以及主管部門的優勢地位。

各部門間仔細依序建立共識這一點，也具有相當意義的。例如，各部門的官僚會參與相關議題的會議，針對政策走向討論後達成共識。負責部門的承辦人會帶著政策草案造訪相關部門進行協議以尋求共識，也就是日文中的「合議」（亦可稱爲「相議」）。經過多番協議後達成共識，是日本官僚制在決策過程的重要特徵。一個政策從局內的主管課獲得其他相關課室的同意開始，再擴大到省內的相關局，以及其他省廳的相關部門。這個過程會和以自民黨爲主的執政黨政策審議機構，以及向相關議員提出報告的程序相同，詳情會於下一章說明。

每項政策草案就像這樣，經過多次個別的協調、不斷修正，逐漸變成縝密的政策提案。如果是要提出法案，更會反覆修改，使其成爲具有「要點」、「綱要」，並予以條文化的「法律案」。

相互作用的決策

值得注意的是，政策立案與決策的緊密性。官僚向上級提出幾個草案後，再由大臣等擁有決策權者決定的情況相當少見。當然，大臣也會在立案過程中，詢問官僚的意見或要求官僚說明狀況。然而，政策經過主管部門的提案，以及透過協議共識等組織性的調整過程，逐漸完成立案與決策，通常是省內一般的決策過程。總而言之，政策是在相互作用之中形成，並非在誰的刻意決定下所完成。

當然，在現代複雜的組織內，這類決策方式有其效用的情況，並不在少數。但是，當幾乎全部政策都是用這種方式決策時，也會出現變形失真的現象。因爲，協議共識對象的組織或官僚間，雖然層級高低各有不同，但是，都具有對其他單位的否決權，達成共識不僅曠日廢時與耗費成本，造成難以調整過往的既定方針。

其次，因爲主管部門懸而未決、無法下決策時，問題往往會被分割成更小單位來處理。再加上各部門各自研擬解決問題的政策，導致整體的政策調整難以進行。爲解決此問題，雖然也有透過多個部門共同提案的「共管」方式進行，但是，因爲不僅事前彙整困難，一旦出現狀況，組織內各單位又須共同協議，相當麻煩。從這層面來說，要處理「整個日本」所面臨的課題，這種組織架構存在許多問題。

不過，這種架構也具有由第一線的主管課負責實質決策的優勢，亦即，負責執行政策的部門在立案過程中，擁有對決策的強力發言權，會仔細審視過第一線現場的實際情況及政策執行上的問題後再立案、決策。加上承辦人也會相當熟悉預計執行的政策內容，在執行上也能較順利。這一點可以說是日本官僚制決策體系的優點。

日本政府的決策，要如何在具有上述問題點的決策體系下，確保其決策的一致性？關鍵就在「綜合調整」上。

4 政策的綜合調整

預算交涉

「綜合調整」就如字面意思般，指的是綜合性地協調事務之意。當這個詞用於日本政府內部時，大多是指橫跨各省廳的問題導致省廳對立之際，要取得各省廳共識、得到結論的意思。從這一點來看，綜合調整是以官僚內閣制爲前提，處理各省廳之間的對立，以達到政府整體政策整合效果的機制。

就算沒有特別需要協調的政策，透過協議以尋求個別政策共識時，也認知到綜合調整的必要性。其中一個例子，則是相關人員構成的各種正式、非正式「會議」之存在。這些會議召集許多相關人員參加，目的爲達成共識，並確保政策的一致，而不只是調整單一機構的政策。不過，若召開權限劃分不明確的會議，在遇到最需要協調的情況，也就是出現嚴重對立的情況，或是處理難以掌握整體政策問題的情況下，往往難以得到有效結論。

因此，在傳統上，已經具備超越個別的協議共識、協調整體政策的機制。例如，若負責部門主張必須執行特定政策時，即使要多花上費用，只要不會對自己管轄政策造成不良影響，其他部門就能接受。但是，多數部門若希望執行需要花費經費的政策時，整體歲出增加的壓力就會增強。此時，若預算編列過程經過一定程序成立，彙整各省廳提出的預算請求就能依照順序加以彙整，讓整體達到一致性。若審核機關方面具有適切的政策方針，即可看出所有預算請求機關的整體情況，並且利用預算請求機關無法知悉其他機關的資訊不對等性，進行整體一致性的審核。

預算編列過程中的當面交涉，讓這些情況得以實現。誠如第六章所述，雖然近期有出現變化，但在此先行檢視長久以來維持至今的典型預算編列過程。

首先，當新年度預算案通過國會審議，並準備執行時（每年春季），各省廳就會開始搜尋下一年度受到矚目的預算。各省廳都會將這些受矚目的預算稱爲「一丁目一番地」，亦即該年度各省廳的最優先重點政策或是新法案的預算項目。

在某些課中，也許會以助理課長爲中心，開始回顧過往的政策，並思考新的政策措施。其他單位的課長則有可能要將其個人多年以來的想法付諸實現，指示課內同仁著手準備具體政策提案。

各課的提案會送到各部門負責彙整的單位，例如總務課等部門，此時各課就成爲預算請求單位，總務課則是審核單位，雙方會展開面對面的交涉。當部門內部彙整出結論後，再由各部門的總務課將資料簽陳大臣官房的會計課，並要求將自己單位的政策及預算列爲下一個年度的重點政策，接著由官房評估該省廳整體平衡後再做決定。到了夏季時，各單位會持續進行這類交涉，一般來說，各省廳內部的調整，會持續到八月底概算請求截止前才會結束。

九月以後，就輪到各省廳與財務省（大藏省）之間展開預算交涉。這些過程就稱爲預算編列過程，在此階段仍採取面對面的交涉。負責彙整的各省官房會展開協調，而官僚部門則由下級到上級單位之間，不斷重複具體要求及審查等步驟。例如，主管課課長的要求，則由財務省主計局助理課長擔任主要審查者，主要審查者會與其上司的主計官討論，若是延續前一年度、比較沒問題的預算，雖然可能會稍微刪減預算，但最終仍然會通過。不過，若該預算案爲新的預算或有問題時，這個階段也僅會提出資料及說明，較少直接定案。

接著會由局長級的官僚前往主計局，與課長級主計官交涉。此階段仍會經歷反覆提出預算請求與審查的過程。若爲新提出的預算，可能部分項目在此階段審核通過，有些項目未通過。經此過程通過後的項目會於十二月後彙整，最後再由各省廳大臣與財務大臣交涉。

此時，在主計局內部則會以次長爲中心，管理各預算審核的進行情況。同時，在主計官會議中，每位主計官則會站在其審查預算的省廳之立場，說明分配預算至該政策的理由。其後，主計官會議中會因應交涉進展情況，調整預算的分配。也因爲上述交涉與審查，才能全面性地調整預算編列的內容。

在一九七〇年代中期以前，政府每年歲出金額持續增加時，主計官會議會展開實質調整，印證了所謂「大藏省權力」的說法。然而，一九七〇年代後期，隨著赤字國債的發行，爲了抑制歲出額度的增加，設定概算請求額度上限的天花板後，在提出概算請求之前，就已可看到各省廳的實際分配額度。爲此，各省廳內部對於預算範圍的限縮就變得更爲重要。從整體來說，財務省（大藏省）審核預算權限的意義就減弱了。

由此可知，日本預算編列的特色，就不像英國等各國一樣，先決定各領域的配額後，再於內部限縮預算額度。在堆積木累積的過程中進行預算調整，雖然具有穩定感，但是，其調整程度卻缺乏大幅度變化。

組織、職員編制員額的綜合調整

前文所說明的預算編列，乃是爲綜合調整幅度最大的一項。除此之外，也有其他可能實施綜合調整的情況，例如，透過編制員額的組織管理之綜合調整。自從一九六九年「總定員法」（規定行政機關職員人數的法律）制定以來，整體日本中央政府公務員員額就遭到凍結，也可能因不同情況而刪減人數。相較於其他國家，日本總人口中每一個人對比的國家公務員數量明顯較低，此即其中的一個原因。

此時，除了整體定額限制已經確定以外，各省廳可分配的定額也已確立，故欲變更組織時，就須接受負責管理的總務省行政管理局（行政管理廳行政管理局、總務廳行政管理局）審查。因爲是以組織破舊立新爲前提，有必要增加人員的改革，就必須同時決定要廢除的單位或是減少編制員額的單位。此外，局、課等組織也有規範可循，因而具有一定程度的查核機制，才能成爲抑制組織膨脹壓力的剎車閥。

至於建立公務員薪資基本級距的薪資表，也須經人事院【8】的審查，避免「人數雖不變，但人事費用卻提升」等情況，這部分也會經過綜合調整。不過，這些與定額、薪資、組織相關的調整較爲被動、且偏於形式化。從數據上來看，確實發揮了調整政府整體規模的功能，也有利於維持現狀的架構。因此，如果對照各個政策目的加以檢視，這個架構也可以說是妨礙政策的轉換。

內閣法制局審查法令

另一種綜合調整的功能，則是由負責法令審查的內閣法制局扮演。內閣提出的

【8】譯註：依據《國家公務員法》所設置、日本國家公務員的最高人事行政機關，隸屬於內閣，不同於依據內閣法設置在內閣官房、掌管中央各省廳審議官級以上（約六百名左右）官僚人事異動的內閣人事局。

法案在提交內閣會議決議之前，須先由內閣法制局的官僚針對該法案是否與既有法令相互矛盾、是否含有過多或過少法律須修正的內容、法律條文或內容是否有邏輯上的問題等進行審查。法制局的審查對於各省廳準備法案的官僚來說，是個極大的難關，有時為了要突破這個難關，必須耗費許多心力。尤其欲起草的法案是過往法律體系中沒有的新觀點時，該法案與既有法令的一致性就成為一大問題，有時也會出現內閣法制局不承認新法條撰寫方式等情況。這也是為了盡可能地統一日本法令體系，讓所有法令規定之間互不矛盾所致。

其他國家，尤其是像英國、美國等國家一樣，未必會有這樣的想法。這些國家多以「新法打破舊法」、「特別法優於普通法」等觀念判斷法令的有效性，並不在意法令間的矛盾，最後仍會依據過往判例來解決問題。相較於這些國家，日本會異常地仔細檢視法律條文，以確保與現行整體法令之間的一致性。

不過，也有因為新政策的構想與既存法律體系互相矛盾，無法在法律層面上加以實現的事例。在這種情況下，過於嚴格的審查反而阻礙了政策的改革。其次，即使只是細微的法律修正，如果要修改的名稱已經被其他法律所使用，就必須一併修改，讓法案起草必須耗費極大心力及時間。此外，就像解釋憲法一樣，實際上具有強大影響力，亦可發揮規範政治人物活動的功能，要用什麼樣的立場審查，仍有討論的空間。

這些「綜合調整」案例中，各省廳可說是「預算請求端」，與負責「審查」的審查機構各自獨立進行。因此，即使各省廳之間曾透過事先協議取得調整的共識，但以整體內閣來說，並不會一口氣調整不同領域的政策。

內閣官房的抬頭

相對於前述，內閣官房或內閣府對於政策的綜合調整案例在一九八〇年代以降逐漸增加，到了近幾年更是持續提升。

一九八五年中曾根康弘內閣的行政改革變更內閣官房組織，新設置內政審議室與外政審議室。其中，內政審議室主要負責調整內政相關政策，外政審議室則負責處理外交、貿易、國安等相關政策，各省廳難以有效協調處理的案件，就由內閣官房爲核心積極進行協調。初期對於可調整的案例有所限制，其後，尤其是首相特別關心的議題，內閣官房的協調機制更會被善加利用。

以內閣官房等內閣爲主體的協調機制，在一九九八年法制化的橋本行政革新中獲得強化。內政審議室長和外政審議室長等職位獲得調升，在內閣官房內增設內閣官房助理副長官職位，在內閣官房副長官的領導下執行政策調整。而新設置的內閣府，則設置了經濟財政諮問會議、綜合科學技術會議等單位，不僅主動處理適合綜合調整的案件，更具備能整體檢視日本政府政策的功能。這一部分，會在後續說明日本內閣制轉型與未來方向的章節再詳加敘述。

由此可見，綜合調整是在分散傾向強的日本省廳體制之下，確保整體政策一致性的措施。不過，每項綜合調整都是以堆積木式的決策爲前提，以期修正政策內容。就此意義來看，由上級提出整體政策方向，再予以具體化的由上而下決策模式的成分就相當微弱。因此，綜合調整便是將各自獨立部門的政策方向相加，以整合出整體方向。

5 中央政府與地方政府的關係——集權融合體制

「集權」或「分權」？「融合」或「分離」

前文已提及日本的政策制定過程中，政策立案與決策的緊密關係，在政策執行上具有正面意義。不過，在實際政策執行時，則有需要考量的問題，也就是除了外交政策、國防政策以外，大多數政策皆由各都道府縣或市町村等地方政府（地方自治體、地方公共團體）所執行，中央政府各省廳主要委由地方政府執行政策。

直到最近，日本中央政府與地方政府關係（中央—地方關係）具有中央集權的特質受到質疑。此一特質遭人詬病的是，不理解市町村及都道府縣已具備首長與議會直接民選的意義。經選舉產生的地方首長及議會具有民主正統性，都道府縣及市町村等地方政府都應被視爲正統成立的「政府」，中央政府也應對這些地方政府給予相當程度的尊重。從這個觀點來看，中央政府透過對地方政府的委任事務、補助金分配等行政手段進行控管，甚至連地方政府的一舉一動都要插手，反映出中央政府不尊重地方自治的現象。這種現象與第一章所探討的日本政治戰前戰後連續論具有相同的結構。

相對於此，戰前戰後連續論派則反駁稱，地方政府可透過當地政治人物對中央政府的影響力，對於中央政府不合理的縱向分割結構，尤其是市町村等級的地方政府，可運用綜合調整能力，發揮其自主性，且其傾向更是與時俱進地增強。第二次世界大戰結束後，經過六十年的長年累月，戰後改革已逐漸定型，誠如戰前戰後連續論所言，地方政府也逐漸具備實質的權力。

無論如何，自一九九〇年代後期以來，近幾年規範中央政府將部分權限與財源移轉地方政府的「地方分權包裹法」【9】，除了規定「地方公共團體」與「國家」對等之外，再結合所謂「改革派知事時代」的地方首長活躍情況，地方分權急速地進展中。

就此意義來看，現在日本正迎來中央—地方關係極大的變化期。不過，應該要承認的是，即使有程度上的不同，戰後長期存在的集權體制目前依然持續實施中。戰前戰後斷絕論針對戰前戰後連續論的批判，也著眼於戰後並不像戰前一樣採取中央集權，並非主張日本的地方分權較其他國家更有進展。

綜上所述，一般提及地方自治時，雖會探討「分權」或「集權」等概念，但是，問題並沒有這麼單純，「融合」及「分離」等角度也相當重要。也就是說，當中央政府與地方政府各自執行業務，中央政府在自身政策領域中直接負責業務，地方政府則自行完成企劃提案、決策、執行等過程時，兩者可以說是處於「分離」狀態。值此之際，所謂集權係指中央政府的權限範圍廣大，而所謂分權則是指地方政府權限範圍廣大。不過，當兩者合而為一時，問題就變得複雜許多。尤其在許多政策領域中，中央政府與地方政府合作推進業務時，就難以判斷出哪一方擁有主導權或最終決策權。

實際上，戰後日本的中央與地方關係是屬於高度融合體制。舉例來說，保障義務教育被認為是中央政府的職責，但是，實際管理中小學教育的則是市町村等地方政府，只是由中央政府以國庫名義提供一半教育經費，剩餘半數費用是由地方政府負擔。此外，警察行政屬於地方自治範圍，警察的薪資由都道府縣所負擔。但是，警視正【10】以上職等的警察幹部，名義上雖隸屬於都道府縣的地方警察本部，其人事權卻是由中央警察廳掌握，各都道府縣警察員額編制也是由警察廳決定。類似案例遍及各領域，即使是地方政府幾乎毫無裁量權、中央政府未負擔全額費用的業務，也是要由實際執行業務的地方政府自行籌措財源以彌補中央補助款之不足。

機關委任事務制度的功過

前述中央與地方職掌分工制度的象徵，便是機關委任事務制度。當中央政府業

【9】日語原文為「地方分權一括法」，乃是將地方自治法等多數法律的修正，以包裹法案的方式送請國會審查通過。日本政府於一九九五年依據「地方分權推進法」規定，設立地方分權推進委員會檢討修改地方與中央分權的相關法律，自一九九九年制訂第一版「地方分權一括法」後迄今，前後共制定十二版本，第十二版「地方分權一括法」於二〇二二年五月十三日成立。

【10】譯註：相當於我國三線一星警官。

務委由市町村或都道府縣等地方政府執行時，其業務的推動即交由地方政府首長以中央政府機關名義負責執行，形成一種雖然是地方政府的事務，卻不屬於地方自治範圍的制度。在此制度中，地方首長不能拒絕執行業務，地方議會也無法介入。這個制度在一九九九年版「地方分權包裹法」成立後就遭到廢除，但是，這種將地方政府視爲「國家機關」的觀點，便是受到戰前官僚統治型行政的影響。

不過，正因爲有這種制度，許多中央省廳會將業務委由地方政府執行，較少由中央自己執行。基於這一點，機關委任事務制度具有兩面性，一方面以中央集權特性發揮作用，另一方面又有擴大地方政府執行業務的效果。所以日本的地方政府相較於其他國家，執行的事務範圍異常地大，這一點特別受到矚目。

然而，有時中央政府割據性的弊病，也原封不動地帶進地方政府。例如，國土交通省的前身、主管公共事業的舊建設省及舊運輸省官僚集團，就是透過人事交流與都道府縣建立緊密關係。接著再透過補助金的分配、中央與地方的公共事業劃分、協助與該地方有關的中央政府業務等方式，與地方政府建構起綿密的關係網。因此，當某個縣的知事指示下屬的土木部長，卻得到「我和本省商量看看」的回答時，也就不足爲奇了。在地方政府內，許多人早已認爲自己是中央各省廳的地方辦事處或相關團體。

這種中央與地方融合體制在日本經濟高度成長期間，行政範圍持續膨脹、社會尚未成熟時，會發揮一定的成果。例如，調查外國制度、將新制度導入中央政府，這是一種在中央省廳官僚的詳細指示下，由地方政府執行的架構。

但是，從一九七〇年代末期開始，就進入政策飽和年代，政策實施對象的日本社會逐漸成熟，開始追求更高水準的行政品質時，不在第一線現場的中央政府官僚制，呈現出與第一線現場脫節、擅自下指令的不正常現象增加。

原本中央省廳的綜合職考試及格官僚爲了在短期內歷練各種職務，大多會關注於新措施的建立。換句話說，就是較少官僚會將熱情投注於既有政策的管理上。此外，一般職考試及格的一般職員將既有法令、規則的運用視爲自己的專長，喜歡維持「踏實行政」，似乎也是爲了排解被省廳內部綜合職考試及格官僚壓迫的鬱悶情緒，常會對地方公務員施壓。

在這種情況之下，身爲政策執行第一線的地方政府的最新資訊，難以傳達至中央官僚。第三章所探討的族議員興盛情況，就具有中央省廳對政策執行第一線現場的不了解、企圖透過個別陳情解決問題的現象。由此可見，或許令人感到意外的是，日本的官僚制具有不熟悉政策執行情況的弱點。

6 深層滲透的國家

委託民間企業執行的政府功能

如同與地方政府關係所呈現的一樣，日本政府擁有外部的協助機關，且政府的界線不明確的現象，與政府規模大小等問題息息相關。從財政中的國民負擔率來看，日本在先進國家之中屬於水準相當低的國家，若從歲出總額來看，日本屬於中階水準（國民負擔率及歲出總額的差額便是每年鉅額的財政赤字）。從公務員人數來看，別說是中央政府了，就連加上地方政府的公務員人數，其人口比例也相當低。從這些外在指標來判斷，日本政府屬於較小規模的政府。

不過，以實際感覺來說，認爲政府活動程度較小的人並不多。一般人反而大多認爲，日本是以中央政府爲中心，積極展開活動，影響力擴及社會各角落。這是爲什麼呢？

首先，是各省廳擁有其他相關團體的問題，例如，「公社」、「公團」等特殊法人，包含了政策金融機構、不具實際公權力的事業部門、執行各種業務的團體等。此外，即使是根據民法設置的財團法人或社團法人等公益法人，實際上也有是由各省廳所設立的團體。相對的，即使是股份有限公司，也有像負責機場營運的股份有限公司一樣，實質上是省廳的相關團體在運作。

由實業界人士設立的業界團體，看似單純的民間團體，但是，如同在戰爭期間爲遂行總體戰，把業界團體整合起來的案例可知，不少團體是經由各省廳推動而產生。因此，負責監督的政府機關也具有強大影響力。加上多年來的合作關係所致，即使沒有明確的上下隸屬關係，也有許多團體被各省廳官僚視爲「自己人」。

這些團體若因媒體報導等引發問題時，官僚離職空降至這些團體或補助金分配等，都會成爲媒體報導的焦點，但是，這些問題並非無中生有。許多相關團體會協助執行政策，甚至本身就直接負責執行政策。在政策立案時，也會請相關產業團體蒐集相關人士意見，或由這些團體負責調查業務。正因爲這些團體的存在，各省廳的活動領域才能對外擴張。

這是先進國家所共通的現象，與相關團體等的合作關係被稱爲「政策網絡」，包含因特殊政策偶然產生關連的「議題網絡」（Issue Network），以及相關單位合作時間較長、關係較封閉的「政策社群」（Policy Community）。以日本的情況來說，大多屬於後者。不僅如此，因爲政黨較少在政策上發揮主導性，使得政策社群存在的意義更加重要，日本省廳官僚與外部團體間的相互依存關係與其他國家相比更爲緊密。

除此之外，如同相關團體一樣，即使未形諸於外，政府的力量蔓延到社會的事例也很多。例如，稅金徵收時的代扣稅金作業。事實上，有不少國家爲了確實徵收稅金，設置了代扣稅金制度。但以日本來說，除了代扣稅金以外，就連複雜的稅額計算，許多民間企業會代替納稅人的員工，或是徵收者的稅務署處理。若利用公司行號在年末代扣稅金等制度，許多受薪階級在未與稅務署有任何接觸下就完成繳稅工作。這些是企業的會計部門分擔部分政府職責的例子，換個角度看，也可說是政府功能深植於企業之中。

「國家」與「社會」的模糊界線

由前文看來，政府和政府外部的界線也變得不明確，這種情況可以從日常用語中的「國家」和「國民」等用語的混淆獲得啓示。

舉例來說，以西方的思維，state這個字彙翻譯成國家時，其意涵並未包含一般平民，因爲國家指的是統治機關的政府。在西方政治學中，大都是針對國家（state）、社會（society）二分法的論述，其中國家並不包含社會。不過，似乎大多日本人都認爲自己是國家的一員。

相反的，日英字典中，通常會將國民翻譯成nation。但是，要注意的是，nation指的是構成國家的人群集合體，各個國家都只有一個集合體存在。因此，經常被用「每一位國民」時，國民就不適合用nation來代替。此時的「國民」則是people，但衆人大多厭惡將這個字彙譯爲「人民」，因而以「國民」稱之。

總而言之，「國家」一詞大多代表「大家認爲自己也是其中一員」之意，以「nation」一詞表示較理想。從這意思看來，state和nation的區分並不算明確。

檢視這些字彙的用法可知，國家與社會這種二分法在日本未必能受到一般大衆理解。本書至今較少使用國家一詞，多使用「政府」這個詞彙，原因就在這裡。

實際上，日本以較接近state定義的「國家」概念早已深度滲透社會，國家與社會的界線也早已不明確。若將本章所敘述的情況，視爲日本國內並未分清楚國家與社會界線的例子，就比較清楚易懂。

因此，令人聯想到因《推動日本奇蹟的手通產省》一書而聞名的查默斯・詹森（Chalmers Johnson），他曾提出「管制型國家」與「發展型國家」的不同。他以日本爲例，找出日本與歐美的國家與社會關係不同的結構。總而言之，歐美國家是追求社會消除市場失敗的「管制型國家」，主要強調管制者與被管制者的關係，國家與社會各團體爲互相對立的存在。相對於此，日本等東亞國家爲「發展型國家」，具有以社會發展爲目標，國家與社會各團體建立合作關係，同時也會指導社會的特徵。從這一點就能看出，研究日本的歐美學者對於日本所謂「國家」認知的違和感。

然而，日本的國家深層滲透社會的現象，反過來說，即意味著日本的國家從最底層開始，就允許對社會的深層滲透。許多各種社會團體認爲，行政是日本政府的中心，希望影響行政事務，他們未必會透過選舉產生的政治人物及其政黨組織，而是擁有直接向行政當局遊說陳情的管道。日本行政部門擁有眾多「審議會」及其強大的角色扮演，就展現出國家與社會互相滲透的一面。

7 依管轄範圍而異的利益媒介系統

社會利益的代理人

由此可知，官僚內閣制中，官僚並不非形成獨自的「統治集團」。乍看之下相當享受特權地位的官僚，在透過都道府縣市町村等地方政府執行行政業務的同時，也會受到地方政府的意向所左右。此外，擁有許多關聯團體的各省廳官僚，也必須扮演代表這些團體的利益之角色。而官僚轄下的業界團體等，也會持續努力，期待相關省廳的官僚代爲處理自身利益。此即意味著日本官僚制具有社會利益代理人的一面。

前述檢視省廳內部決策體系時即已說明，政策的形成會從主管課開始，但眞正的起點，則是各單位轄下的業界等相關團體。其次，由下向上堆積木式的決策在政策執行上來說較爲有利，這也意味著政策得以確立，是基於執行政策的地方政府及相關團體的意向所致。日本省廳官僚制具有紮根於社會的結構，看似有損害官僚的獨立性，但是，與此相比更重要的是，官僚制擁有的社會基礎支撐了官僚的活動。

最近較少聽聞到有關「國士型官僚」的說法，但是，在「國士型官僚」意氣風發時期，就曾聽聞有官僚誇口說：「政治人物只不過是自己選區利害的代表，但是，我們在相關領域中代表了全日本」。這些是他們最單純的想法，也象徵他們對於自己是不同於政治人物的民意代言人之自負。

本章開頭介紹的「分裂的多元主義」，也可再解釋爲以各省廳爲連結點，對抗代表國民的議會，凸顯其代理民意或媒介利益的結構。官僚內閣制並非只是戰前的遺物，而是在民主化過程中，立足於不代表國民的「省廳代表制」頂點上發揮作用。

Chapter 3

政府、執政黨二元制

本書至今已探討過占領時期的民主化改革，如日本國憲法制定等過程皆未如預期的形式扎根，以及官僚內閣制透過省廳代表制掌握其獨自的社會基礎。然而，民主化的成效則顯現在其他部分。在民主化過程中，應該扮演重要角色的民選議員並未如憲法所設定的掌握行政權，卻透過其他形式，找到掌控行政權的方法，也就是發揮「執政黨」的獨特功能，具體而言，即是自民黨本部功能的擴大與族議員的興盛。

1 何謂「執政黨」

執政黨與政權黨的差異

日本政治相關人士往往毫無疑問地，就直接使用「執政黨」一詞。一提到執政黨，就想到選出總理大臣的自民黨，這種說法在很長一段時間都沒有問題。像最近一樣，一旦聯合內閣繼續下去，「聯合執政黨」一詞也就常常被使用。總之，執政黨就是承擔政權的政黨。但是，這樣的用語有問題。

關於議會內閣制的政黨，各國是如何稱呼日本國內的「朝野政黨」呢？以英國來說，「government and opposition」一詞照字面意思直譯，便是政府與反對者或者是「政權黨」與「反對黨」。在總選舉中獲勝贏得政權的政黨，因而被稱爲「政權黨」，相當淺顯易懂。

法國等歐陸國家中，大都以議會中的多數派、少數派來區分政黨。在美國，政黨也被區分爲議會中的多數派、少數派，但是，上下兩院的多數派政黨常常不同，通常會使用共和黨、民主黨等專有名詞。這也反映出像美國這樣，總統和議會經由個別選舉獨立產生的二元制國家，議會多數派並不一定握有執政權，總統也不一定是政黨的黨魁。

在日本，一般都把執政黨和政權黨認爲是同義詞。不過，卻有「政府與執政黨聯絡會議」的存在。這個會議依字面意思來看，可清楚看出這是政府與執政黨之間爲了聯繫溝通意見而召開的會議，也就是以兩者不同爲前提所使用的詞彙。政權指的本來就是政府，但是，卻刻意地區分政權與政府，兩者還必須經常聯繫，令人覺得不太自然。

日本媒體常以「布希政權的執政黨．共和黨」等方式報導美國事務，但是，在美國的媒體報導中，卻難以看到這類說法。而在日本國內採取二元制的地方自治體中，也會使用執政黨這個詞彙。現代日本的地方首長大多爲無黨籍，這裡所稱的「執政黨」，指的是支持地方首長的政黨或政治團體。從這些例子可看出，「執政黨」與

「政權黨」其實是意思稍有不同的兩個詞。

日文的執政黨，也就是「与党」一詞中的「与」，具有「參與」之意。原本這個詞帶有「某人的夥伴」的意思，隨著戰後日本國憲法的實施，才被賦予近似於政權黨的意義，但原本卻是指「參與政權的政黨」。由此可見，這個詞彙雖然不等於政權本身，但卻代表了與政權關係緊密的政黨。

檢視實際的政治過程，其實是明確區分了政府與執政黨。過去爲自民黨單獨執政時期，唯一聯繫政府與執政黨的，是身爲自民黨總裁的首相。然而，政黨與政府仍有所區別，選舉是政黨的工作，首相已經進入政府內，由幹事長代替其處理黨務與選舉事務。例如，總選舉時的黨魁討論會中，只有自民黨會派幹事長代替黨魁（總裁）的首相出席會議。此外，政府、也就是內閣，和身爲執政黨的自民黨也會針對政策問題公開提出不同見解，因而造成混亂。更時常發生因兩者之間的歧異，導致政策調整遲遲未有進展等情況。

從議會內閣制中政府與政權黨一體的原則來看，日本的實際情況與其大相逕庭，反而是把它稱爲「政府與執政黨二元制」還來得正確。

政府與政權黨之間產生嫌隙等情況，原本就可能發生在採用議會內閣制的各國。例如，構成聯合政權的政黨數量比較多時，政府與執政黨就可能出現具有矛盾的微妙關係。

不過，日本的特色是，理應承擔政權的政黨自行冠上「執政黨」之名，公開地表明其與政府不同的立場。當然，執政黨和政府對立仍屬例外情況，但是，一般都是執政黨強調其與政府的「合作關係」。儘管如此，若是要進一步區分兩者的不同，還有更大的特徵存在。

2 執政黨的政策審議機構

黨本部擁有的政策審議功能

自民黨作爲執政黨的特徵之一，就是其雄偉的黨本部了。尤其對自民黨的國會議員來說，在黨本部舉辦的各種會議，大多是議員活動的中心。國會的審議大多僅爲形式，對執政黨議員來說根本不具吸引力。相較於此，在位於國會議事堂附近的自民黨本部召開的各種會議，不僅可讓議員針對政策實質內容發表意見，還可以針對協調省廳或族議員之間的利害關係，讓會議成爲政治活動的舞台。如上所述，日本政黨的特徵就是多數活動都會在黨本部進行。特別是擁有長期執政經驗的自民黨，在黨本部的活動也可以說是實質上的立法活動。

在其他國家，也有些政黨擁有宏偉的黨部建築物，但是，像日本這樣黨本部具有經常性的政策審議功能的國家卻極爲罕見。議會內閣制中，政權黨會透過政府機關實施政策，也可以利用官僚制作爲政策立案時的協助工具。除了選舉時製作競選政見承諾之外，在黨本部審議政策的必要性應該不多才對。反之，反對黨的議員當然也會參加國會審議，但是，議員活動的主要目的在於準備下次選舉的選區服務活動，也是理所當然。從這個意義來看，日本的國會議員經常聚集在黨本部，確實是迥異於其他國家。

誠如前述，現代日本因爲採取「官僚內閣制」，導致支持首相的議員無法充分控制政府。爲了補足此一問題，他們便以「執政黨」之姿代替自身政府的內閣，並藉此統制管理官僚。

政務調查會與總務會

政務調查會（政調會）爲自民黨內部的執政黨政策活動中心。政調會乃是由審議會、部會、調查會所組成。其中部會又分別以各個省廳爲對口，分別設置農林部會、外交部會等，負責處理相關省廳的政策。這些部會則是由從年輕議員到中堅世代的部會長爲中心在運作，雖然議員各有其部會隸屬，但是，每位議員可根據不同主題自由參與各部會。相對於此，調查會則是因應特定主題所設置，族議員中的有力人士等，大多會以特定調查會為基礎進行活動，有時因範圍不同，調查會反而更為重要。不過，就程序上而言，因為部會是正式的黨組織，經過部會的討論乃是不可或缺的順序。而形同政調會總會的審議會，乃是政調會最終確定政策法案之所在。另外，自民黨稅制調查會雖為政調會所屬調查會之一，惟其位階有別於其他調查會。歲出相關預算是以各部會為中心在討論，而稅制調查會則是為統籌處理稅制相關議題，其結論幾乎就等於是政府的結論。

其他相關單位有總務會，乃是代表自民黨最高決策單位的黨大會與兩院議員總會，成為日常決策的最高機關。總務會是負責審議整體黨務的單位，並不處理特定的政策問題。總務會成員的人選，則會考慮到議員所屬區域或者派閥平衡，大多會選派尚未擔任其他職務的有力議員擔任總務一職，就某個角度來說，總務會就像是整個自民黨的縮影。此外，為了限制自民黨國會議員，總務會的決議相當重要，扮演著把守自民黨決策最後一關的角色。

自民黨內的法案審查順序

自民黨的政策審議單位大多從事什麼樣的活動呢？就從自民黨內針對向國會提出

法案的審核程序來看。

如前章所述，主管省廳的官僚認爲有必要進行修法等作業時，會先確認省廳內部的意見，再與其他相關省廳進行協調。此時，官僚會將意見調整的概要提供給具有影響力的族議員。

當擬定出法案的重點、綱要等程度的草案完成後，就會召開政調會的相關部會會議，進行一般性的說明，政調會部會則會審議預定向政府提出的所有法案。而由省廳起草法案時，就由相關省廳的承辦單位負責說明。中央省廳的官僚會向執政黨說明法案，有時也會企圖說服執政黨。在日本的「議會內閣制」之下，這類情況被認爲相當正常的事。不過，英國等國家的官僚，除了大臣等相當於上司的政治人物之外，是被禁止與其他國會議員直接接觸的，官僚向「執政黨」說明政策這種情況，在任何國家都是前所未見。

在政調會部會的討論中，執政黨議員會提出質疑，對於內容也會提出各種要求。在這些過程中，可能會稍微修正法案內容，有時也會爲了獲得有力議員的理解，讓他盡情地表達意見以「發洩不滿」，俾便讓法案得以進到下一個階段。

包含政調會部會在內，一般自民黨的決策過程大都採取全體一致通過的方式進行。但是，若反對意見較強烈時，則會採取「全權委任」的方式進行。這是避免透過多數決而凸顯出反對、贊成的不同意見，以利事後再協調的決策模式，可謂是自民黨的智慧。總之，「全權委任」會議主持人（部會則是部會長）下決定，由部會長取得結論，用稍微曖昧的方式決定政策方針。在大部分情況下，提出的案件都會照案通過。當然，並不是任何情況都可以採用全權委任的方式進行，當反對意見相當激烈時，就無法全權委任。對於法案內容的修改，可全權委任部會長處理，惟「全權委任」的方式，其本身就意味著是全體一致制。

有些堅決反對的議員，就會考量全體一致的制度，在全權委任決議之前就先行退席，以避免妨礙會議進行，也能保全自身的面子。當然，獲得全權委任的一方，重要的是不能忘記反對意見的存在，以及考慮到那些雖然反對卻默認法案通過的議員，找機會改善那些配合法案通過的反對派議員之立場。議員同僚之間長期且多方面協調的人情往來關係，不僅可以調整彼此之間的利害關係，也會形成穩定的人際關係網絡。

由此可見，雖然自民黨內的議員自主性極強，但要獲得整體最終結論，則取決於「全權委任」的決策機制，以及長期多方面協調等利益調整機制的互相連結。

法案經過政調會部會通過後，會轉由全體會議的政調會審議會處理。雖然議員可以自由參與各部會，但因爲許多案件都是併行討論，議員是無法出席所有部會。國會會期期間的早上，很早就會召開包含早餐會議在內的多數部會。雖然各部會的開會時間大多會稍微錯開，但是，議員可以出席的部會仍然有限。因此，重視該法案的議員可在審議會上重新參與會議。法案在經過審議會的討論後，才會向上送至政調會。

有趣的是，自民黨內部的討論結果，是隨時可以推翻的。例如，在部會階段贊成法案的議員，在下一關的審議會時，也可提出原因，表明反對原本贊成的法案。此外，審議會召開過程，參加者範圍不明確，順序也是稍微曖昧不清，以極爲緩慢的順序進行審議。如此一來，自民黨的決策是一種以達成黨內共識爲優先的柔性機制。

黨紀約束

法案通過政調會後，便送到總務會審理。誠如前述，總務會中有許多「囉嗦型」的總務，有時可能會出人意料地表示反對，或提出相關人員並未察覺的法案外部效果、過去的背景等。總之，總務會藉由處理這些批評或反對意見，並視情況做出修正法案內容的決定。除了總務會長之外，幹事長、政調會長通常也會出席總務會，因此，總務會上的決定，就等於自民黨的決策。

因此，只要經過總務會決定的法案，自民黨便會以「黨紀」約束黨內議員，不論是衆議院或參議院議員皆然。黨紀對國會審議的意義會於下一章詳述，重要的是，自民黨內的國會議員會因爲黨紀約束，自動贊成政府提出的法案，讓法案的成立獲得一定程度的保障。

相反的，如果未經總務會的決定、不能課以黨紀約束的法案，在向國會提出後，因爲具有不確定因素，所以不會在內閣會議上作成決議。實際上，這個慣例由來已久。透過黨紀約束，可調整官僚內閣與執政黨的意見，才有可能讓所有議員在國會採取一致行動。

最近自民黨內針對法案的事前審議的實際狀況逐漸明朗，同時也出現小泉純一郎首相與自民黨籍議員對立的場面，對於執政黨事先審查法案的批評也日益高漲。在此情況下，一九六二年，當時的自民黨總務會長赤城宗德要求政府提出說明等事實被挖掘出來，法案事前審議制的發展歷程也逐漸明朗化。有人指稱，從戰前以來，開始有「執政黨」之際，即存在政府向執政黨事前說明法案的情況。不過，至關重要的是，未經過執政黨事前審查的法案，就無法在內閣會議上作出決議一事，成爲一種慣例。

然而，光只是單純地討論事前審查的對錯，並無法解決問題。不如著眼於討論日本議會內閣制應有的樣貌，探討何以日本的「執政黨」必須仰賴官僚內閣制，才能產生議會內閣制效果的問題。

3 協議共識對象的國會議員

官僚與國會議員的接觸

前述從政調會部會開始的執政黨審議機構之所以會發達起來，從較爲微觀的角度來看，源自於官僚協議共識的對象已擴大至國會議員，並且成爲最重要的對象。因此，一大清早在自民黨總部對著國會議員說明政策，已成爲讓官僚實際感受上很體面的大場面。以當事者主觀角度而言，能讓代表國民的國會議員認可政策，並進展到立法階段，對於以制定政策爲職志的官僚來說，就是最重要的場面了。

在這個情況下，政治人物、尤其是自民黨的政治人物又會採取什麼態度呢？一旦成爲黨內外都認可的有力政治人物，因爲自身公務繁忙，並不常至政調會部會聽取說明，更因爲事前早已經過充分說明與調整，也甚少發言。例外的情況是，如遇到較易產生爭端的案件時，有力議員便會出席會議牽制反對派，有時會積極發言擁護政府部門的立場，或者是反過來斥責政府部門的疏失。

即使不是有力議員，只要是已經達到被認可爲族議員程度的議員，雖然會出席政調會部會等會議，一般只會提出補充問題或意見，甚至只會維持沉默，以表現出自己對法案狀況早有掌握的自信。實際上，政調會部會中的主角是當選次數較少、將來想要展露頭角的議員們。那麼，這類議員要怎麼做，才能在政策層面上獲得認可呢？稍微戲劇性地說明的話，可以分成以下兩種途徑。

第一種爲優等生路線。無論議員是否爲官僚出身，都會不斷努力獲得認可。當省廳官僚到政調會部會說明時，議員會事先鑽研相關問題，並提出具體疑問。多重複幾次這樣的過程後，就會獲得「某某議員非常認眞，是個很努力的議員」等的評價，對於該領域的省廳來說，就會考量未來「好好培養」這個議員。只要官僚有了這樣的認知，就會事先向該位議員說明政策。有時根據情況，官僚還會成立讀書會，提供相關知識或協助議員建立人脈，將該位議員「培養」成爲族議員。當然，議員也會研讀省廳所準備的資料，只要議員越認眞，就能與省廳共有價值觀，也越能熟悉省廳的觀點，議員就會逐漸成長爲省廳後盾的族議員。

另一方面，也有強硬的黑臉路線。希望成爲某領域族議員者，會出席該領域的部會，並先聲奪人地高聲表達反對意見。誠如前述，自民黨的部會多在全體一致通過的情況下全權委任部會長決定，一旦出現強硬的反對論調，就會難以彙整出共識。當然，一味地反對反而會受到輕視，但是，如果能夠針對缺點要害提出反對意見，部會便無法置之不理。部會長等人便會先延後決定，觀察情況後再判斷。這段期間，省廳方面便會向該議員進行「簡報說明」，努力說服反對議員。大部分情況下，這類型議員只要沒有旁人在場，往往都會表現出意外地友善。只要能維持良好的人際關係，這類議員也不會胡亂反對。從厭惡失敗的官僚習性來看，把這類型議員加入事前說明的對象，也是再自然不過了。只要該議員和省廳的關係逐漸加深，累積許多人情往來關係後，這位議員就能進入族議員的行列。若議員獲得一定程度的認可，只要省廳十分看重他，議員也不會像過去一樣無厘頭地反對，更成爲官僚意見的支持者。

國會對策政治與官僚

官僚必須如此顧慮政治人物，是因爲日本國憲法採用議會內閣制的同時，也將國會列爲「唯一的立法機構」所致。在官僚內閣制中，即使官僚在組織上占有優勢，但是，要通過法律的話，仍須仰賴國會議員的支持。在省廳代表制之下，各省廳要保護自己的勢力範圍，就必須把自身的權限寫入法律條文之中，以做爲各省廳間無法突破的界線。因此，各省廳間爲追求對自己有利的法條，也會爭相尋求政治人物的支持。

此外，讓情況變得更複雜的是，對三權分立的強調。先前曾提過，三權分立導致執政黨難以控制內閣或行政部門，但是，相反地，若是執政黨強調三權分立，內閣、行政部門將難以插手國會內部事務。許多採用議會內閣制的國家，政權黨通常會結合立法、行政，讓政府在議會運作中發揮積極角色。不過，日本政府在國會扮演的角色，在外觀上看似極大，惟在國會實際運作上，卻比較處於被動局面。

實際上，從有別於政府的意義來看，國會運作是執政黨與在野黨交涉的舞台。這類交涉比較偏向非正式，由各黨的國會對策委員會【1】進行交涉爲主，而非議會運作委員會【2】等正式組織。這種在國會黨對黨協商的「國會對策政治」，過去大多伴隨著應酬、送禮等行爲，有著靠金錢獲取對方妥協的負面形象，因而受到強烈批評。不過，誠如後述，因爲日本國會具有的妥協性格（所謂的「黏著性」），國會對策政治並未就此消失。

乍看之下，國會對策政治是對在野黨有利的制度，對執政黨似乎沒有好處。確實，日本國會過度顧慮在野黨，以採取議會內閣制的國家來看，也實屬罕見。不過，這個機制對於執政黨議員來說，也有極大優點。國會對策政治被比喻爲「相加除以二」、「毫無理由、政策的妥協」，若在野黨欲阻撓其不希望通過的法案，就拿其他法案作爲「人質」，以牽制法案的通過，亦即諺語所云「在長崎報江戶之仇」，或者是以在野黨「睡著了」（拒絕審議）而拖延審議時間，讓許多法案最終因審議時間不足而成爲廢案。這樣的情況，完全不合理。

不過，若著眼於官僚與政治人物之間的關係，國會對策政治越是不合理，官僚爲避免自己的法案被犧牲掉，就會多少關照一下在野黨議員，也必須更仔細應對負責推動法案的執政黨議員。對執政黨議員來說，國會對策政治是族議員維持對官僚權勢不可或缺的道具。總之，國會審議方向的不透明，讓執政黨政治人物可對官僚起到權力槓桿作用。

官僚與政治人物的融合

誠如前述，官僚與族議員的世界，是以國會審議爲槓桿而展開，但是，實際上的接觸場所則是各式各樣都有。一般來說，想與議員接觸的官僚，會前往議員會館等政治人物的辦公室進行「簡報說明」。有力議員或者是雖然不是有力議員、卻喜歡聽取官僚說明的國會議員辦公室前，常可看到欲提出說明的官僚排隊等候。尤其是有許多政治人物，會將等候的官僚人數多寡視爲其權力大小的象徵。

當然，官僚自身也會爲了自己的考量，例如爲自己提出的法案去爭取政治人物的支持。但是，這種關係並非單行道。因爲，政治人物方面也會積極利用與官僚接觸的機會，作爲其表達選區民意或相關利益團體要求的管道。

促進這個情況發展的是，在各省廳中主管具體問題的課長或助理課長等官僚，正是法案立案的負責單位。當負責準備某個法案、並且向政治人物說明的人，如果是平常便監督業界或必須負起政策執行責任的官僚時，前述的利益交換就變得更直接。政治人物只要對前來說明法案的官僚，以順便一提的方式說：「這件事我了解了。對了，還有這個問題……」時，就意味著政治人物已經就具體問題與官僚展開交涉了。

【1】譯註：相當於我國各政黨在立法院的黨團。

【2】譯註：相當於我國立法院程序委員會。

在日本的制度下，官僚與政治人物結合得極深，政治人物要介入行政也並非難事。

4 族議員的興盛

族議員的各種定義

本書至今已多次使用「族議員」一詞，和許多政治用語一樣，也具有強烈的含意。雖然不是沒有政治人物喜歡被稱作族議員，但是，族議員一詞大多用於較負面的描述。

族議員一詞，如果指的是熟悉特定政策領域的議員，當然不具有負面意義。族議員之所以帶有負面色彩，是因爲這個詞也具有議員單方面地維護特定業界或公部門利益，而不是特定政策。

不過，一九八〇年代，自民黨政治仍受到肯定時，有一些研究將族議員視爲日本型多元主義的角色，並給予正面評價。其中，也有研究嘗試定義族議員。豬口孝及岩井奉信根據訪談資料，爲分辨族議員，先列出各種「族」的範圍，如郵政族、道路族等，並將其行爲模式予以類型化。根據此一分類，以族議員在決策過程中的行爲區分爲「看門狗型」與「獵犬型」，前項族議員是指時常參與特定政策領域的少數議員，而後項是指在多數議員關注的議題上，也跟著多數議員開始主張的族議員。族議員的行爲模式並不是只有這兩種，仍有各式各樣類型的族議員。

著眼於自民黨人事升遷型態的制度化之佐藤誠三郎與松崎哲久，以職務經驗爲基礎找出族議員的操作型定義。他們根據此基準，將族議員定義爲「在以省廳爲基本單位區分的政策領域內，經常性地發揮強大影響力的議員當中，僅擔任過一任大臣或初次入閣前的議員」，並以其擔任過的職位予以點數化，建立族議員清單。

日本式「鐵三角同盟」

這些定義並非毫無意義。但是，是否爲族議員則可以說是取決於相關省廳的官僚。族議員會透過前述官僚的「簡報說明」，隨時掌握該領域狀況，但是，即使主觀上特別關注特定政策領域的議員，只要不是該政策社群成員，就不屬於族議員。

就這層意思來看，族議員之所以可以成爲族議員，是因爲其與業界團體等利益團體、相關政府部門互相連結，形成日本式「鐵三角同盟」的關係，因而才會使用「族」這個字命名。被稱爲某某族的國會議員，除了族議員們互爲夥伴以外，在業界與政府部門也擁有共同的夥伴。

石油危機之後，因國債赤字而膨脹的財政問題，及民主政治的穩定，官僚的威望逐漸下滑。與此現象相對比，族議員的活動則給人強烈的印象。誠如曾任農林水產省官僚的佐竹五六所言，戰後前期的官僚內閣制全盛期已是久遠往事，過去「國士型官僚」彼此間談論國政，為實現理想而驕傲的情況已逐漸消失，反倒是在官僚機關與政治人物之間間奔走協調的「調整型官僚」觸目可見。這情況也意味著全面進入政治人物優勢的時代，政治人物或政黨的影響力強、官僚影響力弱的「政高官低」一詞，也逐漸在相關人員間流傳開來。

雖然這種現象多會以「政治主導」一詞來形容，但是，這並非意味著政治已充分發揮功能。由於情況較為複雜，以比較政治人物或官僚孰強孰弱的判斷方式，是無法解釋清楚實際狀態。

5 派閥與政治人物的制度化

派閥的制度化

在此受到關注的是，在「政高官低」時代，自民黨派閥與人事體系的大幅度制度化。自民黨結黨以來，派閥即與自民黨政治結下無法切割的緊密關係，惟自一九八〇年代以降，則出現了一定程度的變化。過往的派閥，一般是由志在登上首相寶座的政治人物個人所創建、維持，其後，議員的派閥歸屬就固定化。總之，即使派閥領袖更換，大多數議員仍然會留在派閥內。其次，派閥內的角色分擔也逐漸被定型，例如，「秘書長」等職稱被認爲正式職稱，媒體也會報導某人擔任此一職務。

派閥的制度化，隨著「總主流派體制」的成立而深化。一九八〇年的總選舉，因大平正芳首相的猝逝，讓原本選情不被看好的自民黨大獲全勝。但是，其後以填補人事空缺爲由，大平派重鎮鈴木善幸雖非派閥領袖，也未曾參與過總裁選舉，卻被推舉爲黨總裁，並成爲首相。當時，自民黨以全黨一致方式，不區分主流或反主流，採取由所有派閥依規模推出閣員人選的總主流派體制。也許是激烈的派閥鬥爭，最後卻牽連到現任首相之死，以此爲殷鑑，不僅減弱派閥間的強烈對立，也促進派閥的制度化。

隨著總主流派體制的成立，過往各派閥之間的特性也逐漸減弱，而最大派閥田中派＝竹下派，則以「綜合醫院」的方式網羅所有族議員，並自豪其派閥議員的高度互相扶持功能。其他派閥也加以仿效，或多或少地逐漸成爲「綜合醫院」。在此情況下，原本分成各個族議員，政策上也具有強烈割據性的自民黨，藉著派閥制度化保有黨內的統一。總之，即使族議員之間有其利害對立關係存在，仍透過派閥這個連結，最後更藉著派閥之間的協調與派閥內的團結，讓整體自民黨產生凝聚力。

人事升遷路線的確立

另一方面，自民黨內的人事升遷路線也逐漸固定下來。在草創初期，官僚出身者未經選戰洗禮就入閣，或者是即使當選次數不多，也以官僚經驗爲基礎，被提拔爲閣員的事例不少。但是，當政權持續時間拉長，黨內當選次數增加的議員對於成爲大臣的期待也會逐漸高漲。派閥對立衍生主流與反主流差異的期間，因總裁選舉的勝敗，經常無法滿足許多人對入閣的期待，但是，在總主流派體制成立後，便會依據派閥規模，分配各派閥入閣閣員的人數。各派閥對於入閣的期待增強，因此更需要客觀基準處理入閣事務。此時有個不成文的規定爲，當選次數達一定程度以上的議員，幾乎都可以入閣。

一九八〇年代的全盛時期，在自民黨內，只要選舉當選了，就會成爲「一年級議員」，暫時過著墊底的生活。先不論過去的經驗，所有人皆隸屬於國會對策委員會，一旦國會的委員會有人缺席時，就由這些議員代替，臨時頂替委員出席國會的委員會，以達到出席人數標準等，默默完成這些工作。不過，這些墊底的生活也有其意義存在，議員可以靠著出席委員會增加人脈，並熟悉各種規矩或習慣。此外，也可以在自民黨政調會部會中，透過發言以展現自我。

當選兩次後，有些人可成爲政務次官，進入政府部門，雖然大多是處理形式上的工作，但也有可能獲得相對應的待遇。當選三次時，則有些人會成爲政調會的部會長等，可以開始熟悉實質的工作。雖然一直到當選三次還都被稱爲新人，但當選四次以後，就以中堅世代身分參與活動並且更爲充實，若能以族議員身分積極參與活動，也可能成爲該族的核心成員。從這時期開始，當上國會委員長等正式組織之長的機會也會增加。

至於入閣的可能性，比較快的案例是當選五次，大概是當選六次時機會就來敲門。再慢的話，大多在當選七次時，就有入閣機會。

若要成爲有力議員，會透過再一次入閣，如果沒有成功，有些議員會就此引退，有些則以族議員的身分堅持到底，在獨自的領域凸顯自己的存在感。

如上所述，依當選次數確立人事升遷路線，可維持自民黨整體一定程度的活力。誠如後述，自民黨以黨的身分從事選舉活動的比例極低，選舉活動多以派閥或個人單位爲主。但是，自民黨爲了保有政權，必須時常勝選。爲了成功勝選，就必須激發出選戰中所有候選人的強烈當選慾望。只要持續勝選、累積當選次數，任何人都有機會當上大臣，是對候選人最強而有力的獎勵條件。

實際上，在官僚內閣制的運作下，無論誰當上大臣，官僚都會安排好相關事務，讓其得以勝任大臣工作，以這點來說相當方便。因此，為了將職務分配到更多範圍，特定的政治人物長期擔任大臣職務，並不受人歡迎。因此，幾乎是每年都會進行內閣改組，任期一年左右的大臣就會換人。也許牽涉到閣員個人素質，但是，任期僅有一年時間，也難以完成像樣的工作。因此，在政策層面，執政黨政策審議機構的活動，就變得日益重要。

官僚內閣制與執政黨的相互依存關係持續加深，且各自有所發展。此等情況在一九九三年，細川護熙政權上台、自民黨下台後開始崩潰，更在小泉純一郎政權期間[3]遭受大幅破壞。但是，此一基本結構，長期以來規範了日本政治。

6 政治人物與官僚的角色交錯

「行政型政治人物」時代

執政黨發揮獨自的角色扮演，導致「政高官低」，形成政治人物占優勢的政治。但是，整體來看，政治人物扮演的角色，仍依循著政府部門的分工在進行。

不僅如此，在這個架構中，政治人物的威望確實較高，與人往來接觸時，「政治人物對官僚表現出偉大的樣子」，也成爲日常化。即使如此，官僚也是以組織爲主軸，將有效的政治協調活動視爲不可或缺的活動加以遂行，兩者的角色相互交錯。

在此意義上，以把官僚帶出正式組織並活躍在外的意義上來看，政府、執政黨二元制擁有可創造出「政治型官僚」的結構。無論是思考國家的未來、擘劃國家大計的國士型官僚，還是奔走於政治人物間協調共識的調整型官僚，扮演政治性角色也占據了官僚活動的核心。

政治人物的勢力即使是增強，在政策問題上，與其他政治人物協調，還不如將官僚作爲手足加以運用。減少政治人物向其他政治人物低頭，對政治人物來說比較好，加上官僚具有知識，說明也較爲周全。對官僚來說，也因爲可自行協調，多少也能滿足自己的期望。

原本各省廳以組織性「培養」、「運用」而形成的族議員，其性格也開始產生變化。因爲頻繁的人事異動，官僚對事務的掌握程度變得瑣碎，反而是持續擔任族議員的政治人物，對於政策的了解凌駕於官僚之上，也開始出現一些族議員不照政府部門的劇本行事。即使如此，對官僚來說，也逐漸無法推動沒有族議員參與的政策法案，即使心生不滿，也必須爲與政治人物協調而奔走，或者是必須以政治人物參與的協調

【3】譯註：二〇〇一年四月至二〇〇六年九月。

爲前提研擬政策。

由於執政黨人事制度化，爲了匯集民意而大膽行動的政治人物，也會隨著時代變遷而減少。政治人物在累積當選次數、等待職位到來的期間，也成爲在組織化、制度化世界中的「行政型政治人物」。其次，不常與高階官僚接觸，而頻繁與中低階官僚接觸，以陳情等形式傳達支持者的需求等政治活動的比重提升，會讓這些政治人物多關注在行政運作或政策執行層面，反而失去對於大規模制度改革、政策協調等重大政治事務的關心。政府與執政黨二元制除了衍生出「政治型官僚」、「行政型政治人物」等角色顛倒的反常現象之外，也淡化政治人物對於整體利益的關心。

執政黨組織終究是非官方組織，不是法律的主體。政黨活動的非公開性強，責任歸屬不明確。如此一來，法律責任在內閣，執政黨組織具有實質決定權的情況，執政黨便有可能偷渡對其有利的政策。在此意義上，只要執政黨越強勢，責任與權力之間的空隙就越大，執政黨政治人物即能隨心所欲地擴大行動範圍。

Chapter 4

無政黨輪替的政黨政治

前一章已探討過自民黨長期政權具備了讓「執政黨」組織發達，以及獨自的政策處理系統。

本章將探討自民黨何以能夠如此地長期維持政權？此一現象在日本政治上有何意涵？

1 議會內閣制與政黨政治

意見整合的角色

政黨政治的確立，是議會內閣制能發揮作用的必要條件。不過，如何確立政黨政治？

社會上存在著各式各樣的意見與利益。要如何向議會反映這麼多的意見，又如何彙整，都是一大問題。議會政治常受到「討論與說服」模式的束縛。在議會中，即使有許多意見，仍需要經過討論、說服、改變意見，以期歸納出結論。不過，這種討論與說服模式卻有著不適用於現代代議制的情況。

一般的會議上，使用討論與說服模式是有效的。互相討論後得到新的結論，是會議激發出新想法的開創性結果。不過，若是以代議制爲前提時，議員便無法僅忠於自己的意見。因爲議員受到選民付託，其行動必然受到一定程度的束縛。即使在選舉時揭櫫「競選政見」，一到了議會便讓「被說服而改變意見」成爲慣例，選舉的意義就受到侷限了。

此時，討論和說服所具有的意義，會隨著該國採取議會內閣制或總統制而不同。議會內閣制國家的政權基礎在於議會，擁有相對多數的政權黨（或政權黨聯盟）會做出擁護執政者的決定。因此，議員的行爲受到政黨牽制的程度就強。相對地，總統制國家的政權基礎不在議會，議員在議會的行爲就相對自由。舉例來說，當議會多數派政黨與總統所屬政黨不同時，議員也有可能妥協，以免總統行使否決權，因此即使身爲多數派，也有可能改變自身立場。

議員的意見多少程度受到政黨束縛取決於制度，但是，意見整合的必要性並沒有不同。只要不是一人政黨，任何政黨都需要經過黨內意見協調的過程。較具凝聚力的中小型政黨比較多時，政黨間的意見協調程度高，若是規模較大的政黨，其黨內意見協調程度會變高。政黨的角色就是彙整社會大眾的意見及利益，並提供選民相關選項。

提到意見整合，最後會歸納出一個結論，容易陷入把人世間「最好的方案予以一元化」即可的思維。不過，我們也很難去判斷這個結論是否爲最好的方案。即使是獨裁國家也會狡辯自己的政策「永遠都是最好的」。但是，若缺乏自由競爭，就無法比較其他方案。現代民主政治是採取競爭性政黨體系思維，無論如何都會列出複數選項提供選擇。

理想的政黨制

不過，這樣的政黨也有其他的面向存在。對於追求政治地位的政治人物等人來說，政黨是他們獲得權力的手段之一。就這層意義來說，包含派閥、其他的小團體等在內，政黨存在於各種政治體制內，並非僅存在於民主政治之中。反過來說，站在獲取權力的工具之觀點，反而更能清楚看出政黨應有的樣貌。

即使是同爲民主制度，政黨的意義也會因議會內閣制或總統制而異。對於總統制來說，民意整合固然有其意義，但是，它更像是一種獲得權力的手段。這是因爲總統與議會分立，民意可透過兩種不同形式呈現。即使以政黨爲單位整合民意，在總統及議會相互妥協下，政策也會產生變化。因此，在二元代表制下，加強對政黨的束縛，在政策意義上並不合理。相對於此，在議會內閣制下，健全的政黨政治則是不可或缺的要素。因爲政權基礎在於議會，在議會沒有一定程度的穩固支持，政權是不可能維持安定。

因此，議會內閣制中，具有一定程度穩定的議會多數派存在，就變得至關重要。若重視選民的選擇，透過選舉產生多數派是最理想的。因爲一旦透過選舉產生多數派支持的內閣，該內閣或首相就等於是經由選民選舉而產生，具有民主的正當性。爲了創造出穩定的多數派，政黨是必要的存在。

然而，從顯示出政黨是如何互相產生關連的政黨制（政黨體系）來看，並不是選擇了議會內閣制，就能實現理想的政黨制。檢視過去歷史，許多國家並未實現符合議會內閣制的政黨制。

例如，法國曾長期受到不穩定的政黨制及其衍生的不穩定政權所苦，最後是改制爲議會內閣制以外的政治體制才穩定下來。法國改採可謂是總統制與議會內閣制的折衷體制，亦即目前的第五共和制（一九五八～），在強勢的總統領導下，追求政黨彙整的方向發展。

日本議會內閣制的漏洞

在議會內閣制中，基於競爭性政黨體制，政權必須透過選舉產生，其必要條件便是確立政黨政治。這也是因爲政黨承擔了包括組織選民、從事選舉活動、約束議員在議會的行爲、職務分配等功能，以規範政治人物的行爲，讓選民在選舉中的選擇，對於選後的政治發揮強大的影響力。

議會內閣制中最重要的是，具有選擇政權意義的總選舉（奠定政權基礎的議會全面改選），以及奠定政權基礎的議會（衆議院或下議院）中的首相選舉。總之，總選舉具有選擇政權的色彩，在總選舉中產生的多數派，可望成爲選出首相的母體，以及組閣的基礎。

不過，當社會分裂、各政黨維持固有的支持基礎，議席並未變動時，或採取比例代表制等選舉制度時，政黨會在選舉中訴求各自的政策以確保議席，也在選後透過聯合組閣協商的情況也多。在此情況下，由於選舉的選擇未直接連結到政權的選擇，民主化的程度降低。因此，政權選擇易被認爲兩黨制的固有現象，但是，只要能夠在選前成立聯盟，即使採用多黨制也能透過選舉選擇政權。

若對照一般原理，日本議會內閣制的漏洞就暴露無遺。總之，因爲日本國內政治長期維持特定政黨獨占政權的一黨獨大制，總選舉無法成爲選擇政權的選舉，難以在選民的選擇下選出首相、成立內閣。爭奪政權寶座的競爭，只限於自民黨內部的派閥鬥爭時，大多數選民只能坐壁上觀，彷彿是看熱鬧的旁觀者。

在此情況下，首相或內閣很難以民意支持爲後盾，提出明確的施政方針。就某個角度來說，首相及內閣只能摸著石頭過河、且戰且走，一邊確認選民的支持意向，一邊往前推進。此外，在對於官僚的領導統御方面也是一樣，因爲本身並未具備基於民意成立的強烈正當性而受到諸多限制。

2 一黨獨大制

疑似政黨輪替

經過戰後的民主化改革過程，日本導入議會內閣制，並保障人民的思想、信念與結社等政治活動上的自由，日本也因此符合自由民主體制的基本條件。在這前提下，日本也保障了公正選舉權利，並成立了競爭性政黨體制。不過，讓人感覺日本民主政治並未充分落實的原因，在於現實的選舉幾乎未能實現政黨輪替。雖然理念上是「透過選舉以選擇政權」，實際上卻是由同一個政黨持續勝選，亦缺乏足以抗衡的政黨情況下，選擇政權形同「畫餅充飢」。

這個問題，乍看之下很簡單，實際上卻是難上加難。過往常聽到「自民黨獨裁」、「自民黨政權獨占體制」等批判的聲音，但是，只要思考一下日本各民主制度的扎根過程，會發現這些規定本身就有極大問題。

在政治學上，客觀地從政黨制（政黨體系）的觀點，將自民黨長期政權視爲

「一黨獨大制」的情況增加。從競爭性選舉舉辦的角度來看，一黨獨大制雖然與一黨獨裁體制明顯不同，但是，其意味著一個政黨長期持續掌握政權，並未實現換黨執政的政黨輪替現象。

自民黨長期維持政權的原因有好幾個，其中一個爲「疑似政黨輪替」的首相換人。議會內閣制的總選舉，多數派政黨交替，也等於首相或內閣的輪替。不過，在自民黨長期執政下，首相大多僅透過自民黨的總裁選舉而實現輪替，首相選任與總選舉的關聯不高。但是，首相或內閣出現輪替，在表面上會產生政黨輪替的印象，也成爲政策方針轉變的契機，其實質上的意涵不小。

然而，透過自民黨總裁選舉產生政權輪替的過程，大多數的選民並無法參與。因此，在政權輪替時，出現選民成爲觀衆的現象。若總選舉在自民黨總裁選舉之後舉辦，自民黨可能會考量選民的動向。若非如此，則選舉首相形同自民黨內部的家務事，多數的選民僅能透過這齣疑似政黨輪替戲碼宣洩情緒。

對在野黨的利益分配

自民黨長期政權下，也存在著避免執政黨獨占利益以維持平衡的機制。例如，在國會衆議院、參議院長久以來皆由自民黨占了過半數席次，若採多數決，則自民黨可隨心所欲通過內閣提出的法案（也就是自民黨的法案）。不過，有時法案也會因爲遭到「在野黨的抵抗」而無法通過，執政黨也常需要在政策上做出妥協。總之，在選戰中輸掉選舉的在野黨，可利用在國會中的抵抗，獲得對政策決定過程的影響力。議會中的少數派在野黨透過抵抗行爲，讓法案變得難以通過的現象，就是前述研究學者所指的日本國會的「黏著性」。

支撐這種黏著性的因素之一，便是三權分立的神話。在議會內閣制之下，強調三權分立論，不但讓政治人物對政府的控制能力空洞化，同時也限制了內閣參與國會的運作。因此，別說是與英國那樣的內閣主導制國家相比較，就連與歐陸各國相比，日本政府對國會運作扮演的角色也相對較小。

過往在國會議事運作上，具有儘可能避免只反映主要政黨的意向，也就是避免違反少數在野黨意向的習慣。不過，近幾年來，這種習慣已經急速衰微。當這個習慣影響力增強時，如掌管國會議事的程序委員會的決定須採取全數通過的方式進行，此舉形同給予在野黨否決權。在野黨也曾以此否決權作爲籌碼，要求執政黨妥協，甚至發生要求退回安全保障相關法案等狀況。當然，這種否決權並非絕對，有不少被退回的法案在下一個國會會期中敗部復活，在野黨利用這種否決權，也只能達到宣傳「在野黨阻撓執政黨」的程度罷了。不過，對於該法案的相關人士而言，卻是個極大的威脅，因而擴大在野黨影響力的空間。

這種朝野政黨的討價還價，象徵性地出現在例如人事院有關國家公務員薪資建議案的處理。日本雖然限制國家公務員的勞動權，但是，相對地，人事院則會站在中立的立場核算薪資基準，並建議內閣依此標準執行。在自民黨長期執政下，人事院也考量到通貨膨脹情況，大都會提出調漲薪資的建議。但是，即使政府在初夏接到這個建議，也不會立即實施。

因爲，對於擁有公務員勞動組織支持的社會黨而言，人事院建議的實施乃是其關心的重要事項，因而被執政黨用來當作交易的條件。通常，在秋季召開的臨時國會中，當法案審議被卡關時，執政黨便會承諾實施人事院建議，並且於年底實施。實施之際，還會將從春季開始計算的調漲薪資一次補發給公務員。因此，從表面上看來，好像是「在野黨努力爭取得來的成果」。因爲，人事院建議也會波及到地方自治體，因而也會影響到地方公務員。

如上可見，對於在野黨精巧的利益分配，是自民黨長期執政下、朝野關係的重要因素。而且，這種利益分配可以適當地滿足在野黨支持者，具有避免反政府情緒的累積、防範爆發於未然之意涵。在野黨藉由在國會運作中的妥協獲得具體利益，卻也造成無法累積政黨輪替的能量。

此外，在官僚內閣制的日本政府下，政府的績效難以直接成爲執政黨的績效。

當政府失敗時，執政黨便會佯裝不知情、或擺出宛如「水戶黃門」[1]的姿態斥責政府之不是。從議會多數派承擔政權主體的議會內閣制原則來看，也許是很奇怪，但是，如果將政府和政黨分離開來看，會有這種行為也不足為奇。另一方面，如果將政權的失敗與執政黨的責任切割開，就能減少政黨輪替的危險。

一旦官僚內閣制成為超越黨派的存在時，政府的行動有時會被誤解成超越人類智慧的自然現象。當國會議員任滿或解散改選時，尋求連任的執政黨議員在選舉中發表政見演說，提及「日本已成為世界最大的債務國家」時，卻幾乎沒有任何人質疑預算到底是由誰所決定，而這正是政府與執政黨切割的「成果」。

最大的因素——中選區制

自民黨長期政權擁有幾個制度，可用以緩和要求政黨輪替的壓力，而直接支撐這些制度的，則是選舉的結構。其中一個因素為「議員席次分配不均」問題，這對於在人口稀少地區勢力較強的自民黨有利，但是，最大的原因則是眾議院的「中選區制」。

各選區當選者只有一人的選舉制度，稱為小選區制；當選者不只一人時，則稱為大選區制。選區制基本上可分為上述兩種，中選區制乃是大選區制的一種。大選區制會設定較多當選名額，以達到比例代表的效果。日本的選舉制度特別稱爲「中選區制」，是因爲每個選區議員當選名額以三人或五人爲基準（四人或六人則是例外）。相較於大選區制中、全國一個選區的當選名額，中選區制具有當選名額較少的特徵。

在中選區制之下，較難達到以政黨爲主的選舉結果。因爲，如果追求執政的政黨沒有在一個選區中當選複數席次，就無法獲得議會的多數席次。例如，以五人選區來說，要當選三人以上，就必須推出四～五位參選人，但是，這麼一來，同黨候選人就會陷入同室操戈的競爭，很難以選擇政黨或政權作爲訴求，在政策上的政見也會變得不夠熱烈。

一般來說，參與競選的候選人較容易聚集在執政黨之下。在自民黨長期執政

【1】譯註：「水戸黃門」乃是日本德川幕府時代的水戸蕃（今之茨城縣中部）第二代蕃主德川光國的別稱，係德川幕府首代將軍德川家康之孫。據傳德川光國曾假扮批發商人巡視各地，探訪民瘼、懲惡勸善，因而被當作題材撰寫「水戸黃門漫遊記」小說，在明治時代末期開始成為日本古裝劇電影的題材，曾被拍攝成數十部電影。戰後，以「水戸黃門」為素材的電影亦歷久不衰，並且自一九六九年八月起，成為日本TBS電視公司周一晚間八點檔播出的古裝連續劇，一直到二〇一一年十二月才結束，創下日本電視劇連續播出四十二年的紀錄。

下，往往會出現自民黨會考量到確保政權的問題，而其他政黨只求確保席次即可的情況。這麼一來，選民也不易透過選舉選擇政權。也因爲如此，選舉中哪個政黨獲得執政權已不重要，哪個候選人當選才是焦點。

但是，中選區制對自民黨候選人來說，絕非輕鬆的選舉制度。因爲，每到選舉的時候，就有許多選區的當選人會更換。不過，再激烈的選戰都只是爭奪誰可以成爲自民黨議員，政權的組成依然不變。就連自民黨支持率低迷時，也有些「保守派無黨籍」的候選人在當選後，就申請加入自民黨，讓自民黨確保眾議院過半數席次。對於政治人物來說，相當激烈的競爭也只是自民黨維持政權的緩衝裝置，成爲舒緩政黨輪替壓力的因素。另一方面，在野黨的政治人物能夠靠著批判執政黨而獲得一些支持，就能夠確保席位。對這些政治人物來說，只要不追求執政，他們也能處之泰然。

基本上，選民認同自民黨政權的同時，也希望在野黨抑制自民黨的過度舉動。在自民黨「贏過頭」的情況下，也有不少選民會採取策略性投票，選擇棄權或投給在野黨；反之，則棄權或投給自民黨候選人、保守派無黨籍候選人。不過，候選人之間的競爭雖激烈，長期以來朝野兩黨在選舉結果的席次上，卻長期穩定得令人驚訝。

當然，只要採取兩院制，問題就不僅只是在於眾議院，參議院也有關係，尤其是參議院的選舉制度又與衆議院不同。不過，因爲許多地方選區的參議院議員候選人，是在衆議院議員經營的選區進行選舉，其自身的競選基礎較薄弱。此外，全國選區的參議院議員候選人則是在分散於全國的各種團體展開選戰，較少涉及政黨或政權選擇。雖然參議院逐漸強化其自主性，但是，參議院原本即是存在於衆議院的控制之下。

在這種選舉制度支撐下，自民黨優勢得以確立，並且長期獨占執政權，讓執政黨等於自民黨的認知普遍化。就連投票給在野黨候選人的選民，對於問卷調查的問題「理想的政權」，仍有多數人回答「以自民黨爲主的政權」。自民黨以「天下黨」之姿占據無法動搖的地位，更成爲以內閣爲頂點的政府內部之「第二政府」的定位，也受到社會大衆的普遍認同。這是自民黨是「優越政黨」的日本意涵。戰後日本政黨制特徵的「五五體制」[2]，即是以自民黨長期政權爲前提下，同時存在朝野政黨穩定的對立與共存。

【2】譯註：所謂「五五體制」，是指在野的社會黨與執政的自民黨分別於一九五五年底成立，形成左右派兩大政黨對立、自民黨長期執政的日本國內政治體制。

3 無目標政權

長期政權與缺乏政策

一旦將自民黨執政視爲理所當然，就會衍生出一些問題。其中最大的問題，便是政權的目的會變得不明確。因爲，政權並非選民特意選出，只是單純的「存在」，不用爲了「做些什麼」而努力，這種現象具體表現在衆議院總選舉中、曖昧不明的競選承諾上。當選民透過總選舉選擇政權時，以獲得執政爲目標的政黨所提出的競選承諾，是向選民具體展現政權型態的重要手段，理應在選戰中具有重大意義。

不過，自民黨的競選承諾，雖然涵蓋了極爲詳細的項目，卻有不少抽象、不清楚的內容。例如，「建構發光發亮的地方」、「實施嚴謹細緻的應對處理」、「努力振興某某行業」等一連串「承諾」。而且許多候選人也不關心自民黨的競選承諾，甚至連看都沒看過。

自民黨的競選承諾，原本即是由少數負責的議員與其他黨職人員以官僚提供的資料爲基礎，在選舉前才緊急製作完成。因此，黨內並不會針對這些內容有所爭論。加上許多候選人也會提出「個人的競選承諾」，內容大多訴求解決特定問題，如「推動某條道路的建設」、「取得某事業的補助金」、「針對海外某個產品異常流入國內採取對策」等。同時，這些候選人更喜愛使用「直通中央」等字眼。因爲，自民黨議員的強項便是對中央省廳官僚「展現自己的影響力」，而許多選民也認同這一點。

選舉過後，當選的議員也會「揮汗努力」地實現自己的「承諾」。這些議員會把官員叫來聽取說明、對其施壓，如果仍難以實現承諾的話，便會號召立場相同的議員以提高施壓的氣勢。這些議員採取的行動，主要是爲了讓這些議題在自民黨部會中討論。這些行動會讓政治活動趨向個人化，整體政權的目標便逐漸消失。

即使是多次當選、已當上大臣的政治人物，在就任時也會說自己的當選是「出乎意料」，並照著短時間內從政府機關聽取的內容，說出自己的抱負。結果，大臣的工作就可能演變成只是爲官員講話罷了。不過，如此責怪這樣的政治人物就過於嚴苛了。因爲，要這些議員在就職時並未收到具體的付託就去對抗官僚機關，不僅強人所難，也是沒有意義的。

這樣看來，自民黨候選人只是政黨爲獲得執政的工具，獲得議員、大臣等地位也成爲這些候選人自身的目的。而用「戴上徽章」一詞代表成爲國會議員、「獲得大臣的椅子」象徵當上大臣之意，都代表這些現象已融入日常用語中。只要能夠獲得國會議員、大臣這樣的「通行證」，就可以對官員發號施令，只要按照劇本演出，就能獲得提升，並且在沒有大錯誤的情況下，就能夠留下實際的政績。

審議會體系

那麼，選民與政權之間不存在契約關係，政府的政策是如何產生的？誠如前述，省廳官僚制與業界團體爲首的社會大衆之間存在著接點，並藉此蒐集民意。不過，這個路徑是平常性的、也較爲分散。即使有改革的必要，也難以有好的主意或替代方案。

因此，官僚制依賴的是審議會。從官僚制的角度來看，審議會遠離日常業務，可成爲檢視問題、研擬替代方案的立足點。此外，爲了發揮審議會的作用，通常會安排較具權威者擔任委員。這些委員具備專業正當性，而非民主正當性，得以保證審議會的存在意義。審議會的委員除了業界代表以外，還包括該領域研究學者、有學識專長的財經界人士等社會上的成功人士。當然，負責該領域的官僚也具有專業能力，惟難以同時兼任委員及秘書單位的業務，因而邀請「前官僚」等與相關省廳有關聯人士擔任委員。

審議會的型態衆多，不是只有一種。不過，大多數的審議會是由秘書單位官僚負責撰寫報告書，在正常情況下，不會出現與官僚想法相左的結論。審議會經常被批評是官僚的「隱形風衣」，大部分是正確的。只是並非官僚在一開始時就早已有結論。官僚也會根據審議會中的討論彙整意見，並審視討論過程，判斷什麼政策才能被社會大眾接受。

由此觀之，審議會擁有由不具民主正當性的省廳官僚制自行提出制定政權承諾替代方案機制的一面。然而，不具民主正當性所代表的意義不小。若是像經濟高度成長時期一樣財源不斷增加的情況下，當然可提出各種政策，政策造成的負擔也不大，審議會也能充分地實施改革。但是，陷入低度成長期的今日，社會期望的是帶給社會活動更多影響的改革、需要新財政負擔的改革，或是大幅改變行政秩序的改革，而這些改革就必須要有較強的權力才能實現。而最強而有力的權力基礎，便是來自選民的支持，亦即選民透過選舉，明確地與政府締結契約。

沒有競選承諾的總選舉、或者是「缺乏目的的政權」，即使可執行日常行政業務，卻難以實施徹底的改革。

4 空洞化國會

內閣提出法案與事前審查

自民黨長期政權也大幅限制了國會的型態，造成國會定位曖昧不清、審議空洞化等問題。

其中一個代表性例子，便是自民黨針對內閣（政府）提出法案的事前審查制。一般來說，內閣提出法案都是自民黨內事先通過的內容，也預期會在國會通過審議。因此，國會審議被批為淪於空洞化。不過，這個認知並不正確。因為在議會內閣制之下，內閣提出法案便等同於政權黨自行提出的法案，既然是自己提出的法案，贊成乃是理所當然。

不過，即使是採行議會內閣制的國家，也有可能出現政權黨議員的背叛、政權黨在國會審議過程中有所修正等情況。自民黨事前審查制最大的問題，在於其連法案中的極細微條文都會受到限制。

若競選承諾發揮功能，政權黨內應該會對政權運作的基本方針取得共識。從民主政治的架構來看，法案若依循政黨基本方針制定，並於國會中提出，進而獲得占有較多席次的政權黨贊成，是相當理想的情況，即使事前即可預期結果，也不算是壞事。不如說眞正的問題在於，自民黨內部審查機制過於細微，使法案缺乏協調的彈性出現，讓法案幾乎等同於法律。

誠如前述，日本是以政府、執政黨二元制爲前提的國家。官僚會協調各省廳的利益、取得執政黨議員的共識、接受內閣法制局的審查，最後接受自民黨政調會、總務會的事前審查。因此，在法案提出階段，條文早已確定，甚至連極其細微的內容都已完成。

這是相當罕見的現象。因爲其他國家的內閣提出法案，在議會內極有可能通過的階段，才會逐漸完成較細微的條文。若包含細微的修正在內，法案的修正是極爲常見的事情，反映出議會審議的結果。

內閣提出法案中，有些是政府無論如何都想確保的內容，有些則是可以靈活處理的內容。但是，在法案的事前調整中，以「道理妥協」的方式，甚至就連用字遣詞等極其細微的部分都要受到相關人士的限制，就無法反映議會的審議以進行修正等彈性處理，其結果容易衍生出即使精細審查法案內容，也是沒有辦法的情況。

黨紀約束的意義

議會內閣制中，一般都會有約束政權黨議員對內閣提出法案投票行爲的規則。

以英國來說，當法案經過審議、進入表決階段，各政黨在議會內的黨鞭就會對黨內議員發出動員令，要求議員必須出席院會等形式，約束議員的投票行爲。不過，約束內容也會依法案重要性而異。基本上，約束內容從要求出席議會、並課以投下贊成票，到如果反對約束命令、即採取予以除名等懲罰措施。

另一方面，日本自民黨的情況來說，一旦總務會祭出黨紀約束，便一視同仁，一律限制投票內容。但是，違反決定時的罰則並不明確。

除此之外，更大的問題是，參衆兩院與議員分別透過不同選舉選出，是在議會以外的自民黨場合，其投票行爲同樣受到限制一事。議會中的投票行爲，由議員本身決定，乃是理所當然的事，而議會內黨團針對投票行爲約束黨籍議員也相當常見。但是，在日本卻是以自民黨這個框架、不分參衆兩院議員，一律予以約束的情況，實屬罕見。

姑且不論這些道理，在法案尚未提出的階段，就在參衆兩院限制議員的表決行爲，將會失去與選民共同審議、討論法案內容，並且將討論結果反映在表決投票的契機。在參議院方面，在摸索法案修正之際，即使有討論應該讓議員自由表達意見，但是，仍然存在一些制度上無法跨越的障礙而無法實現。

由此可見，送請國會審議的法案，何時進入表決階段，是最受矚目的焦點，國會的功能也集中在表決上。而這也意味著，「討論後決定」的國會審議過程，已經被切斷了。

較短的審議日程與「國會對策政治」

從比較政治的角度看來，議會可分爲兩種類型，其中一種爲競技場型，另一種則是轉換型。

競技場型議會以英國議會爲代表，基本上是由政府提出法案，並且由政府主導安排審議日程。也就是說，這種類型的議會表決結果可以事先預測得到，國會審議就淪爲形同演戲一樣的存在，因而被稱爲「競技場型」議會。在這類型的議會中，議會的功能並非法案的成立與否，反而是明示並廣爲傳播法案的內容，以法案爲契機展開政策辯論，並將各政黨的立場讓選民週知，作爲選民下次選舉的參考。

相對於此，轉換型議會則以美國及德國議會爲代表，其最大特色便是在審議期間仍可修正法案內容，也就是可「轉換」法案內容的議會。先不討論採權力分立制的美國，若要在議會內閣制之下，採取轉換型的國會運作方式，就必須像德國一樣，法案在委員會中的實際審議過程中是不公開的，在委員會的審議過程中，有必要在不破壞朝野政黨雙方面子的情況下完成法案。由此可知，很難期待轉換型國會同時出現精彩的辯論，以及法案內容的變更。

那麼，日本又屬於哪一種呢？原本應該是朝野政黨對決主戰場的院會，卻只剩下空殼子，受到美國的影響而成爲重視委員會的型態。但是，因爲日本是採用與美國不同的議會內閣制，議員的行動受到束縛。此外，若不公開委員會審議過程，會削弱國會的存在意義，故日本透過公共電視臺、日本放送協會（ＮＨＫ）轉播委員會的審議過程。正因爲如此，政黨很難在委員會階段進行妥協，法案的實質修正也變得困難。總而言之，日本的國會不屬於競技場型，也不屬於轉換型。因爲事前審查制的存在，導致國會中的法案修正極度受到限制，因而不屬於轉換型議會。但是，又因爲「三權分立論」根深蒂固，對於議員立法有過度期待等現象，存在著對於轉換型國會的期待。

另一方面，有個現象耐人尋味。在日本國會中，法案遭到修正的案例，比起英國這類屬於極端競技場型議會的國家來得更少。不過，政府提出法案的通過比例，日本國會卻低於英國。尤其在五五體制最盛的時期，更常見到這番現象。

這是因爲隨著民主政治的扎根，許多國家議會早已廢除的會期制，卻仍然存在於日本國會中，日本甚至還主張「會期不繼續原則」。此即意味著在該會期內未完成審議的法案，原則上必須以廢案處理。當然，現實情況中，也有不少法案會採取繼續審議等方式處理。不過，其他國家的議會中，會將兩次總選舉之間視爲一次「會期」，原則上是全年皆可審議法案。相較於此，日本的國會並非全年皆可審議法案。因此，法案的通過與否，會大幅受到日程安排所影響。

而且日本國會基本上是採用固定日程制度，參眾兩院各自決定院會召開日期，各委員會也有其固定召開的日程。國會正式會期爲一百五十日，看似很長，但是，要一一經歷衆議院的委員會、院會，參議院的委員會、院會等重重關卡，實際上的會期比想像中的還要更短。只要順序稍有錯誤，時間就可能不夠。

在五五體制之下，國會審議時有尊重主要政黨共識的慣例，在野黨對於國會審議日程具有實質上的否決權。但是，近年來這種慣例已經不存在了。當然，這種否決權僅是非正式的慣例，若爲明文規定的否決權，只要是在野黨反對的法案就無法通過。

實際上，當在野黨認爲無法阻止法案通過時，會採取「出席國會表達反對」的立場，若是堅決反對到底時，更會採取拒絕審議以杯葛國會審議的激烈手段，宣傳他們自己的立場。此外，如果執政黨不希望僅由執政黨單獨審議，也常常會與在野黨有所妥協。在野黨拒絕審議時，若執政黨仍希望法案通過，只要採取執政黨單獨審議，並單獨表決通過即可，但是此舉可能會招致「強行審議」、「強行表決」等批評。對在野黨來說，執政黨的「強行表決」會提升「對抗的在野黨」聲望，反而是維護在野黨面子、値得慶幸的好事。在這種情況下，朝野政黨的利害關係錯綜複雜，在檯面下形成合作關係，檯面上的國會審議卻帶有強烈的「表演」色彩。

由此可見，日本國會可說是形式上稍有不同的競技場型議會，但是，卻存在著審議日程太短的大問題。因此，包括法案內容的充分審查、政黨立場差異的檢查、透過討論以解決問題等功能也較容易遭到忽視。

此外，雖然日本國會看似競技場型，惟其法案通過率較低的情況，也意味著國會具有阻止法案通過的能力，並促成了朝野政黨間微妙的合作關係。這就是所謂的「國會對策政治」的成立基礎，所謂「國會對策」，是指各政黨在國會的對策委員會，在制度上，國會對策委員會不同於決定審議日程的議會運作委員會，會利用其非正式立場展開各種討價還價的交涉。

因爲日本國會受到會期制的束縛，而賦予在野黨一定程度的否決權，此即前述的「黏著性」。總而言之，政府提出法案無法輕鬆通過國會審議，也無法變更，而是被國會「卡住」。而且透過國會對策政治，賦予不同於政府的執政黨一種法案否決權，也賦予在野黨在法案通過時的一定程度權力。

如果朝野政黨國會議員意識到這種關係，他們在應對省廳官僚制時，誠如前述，由國會對策政治扮演一種槓桿的角色。從這一點來看，日本國會介於既不屬於競技場型、也不屬於轉換型的曖昧不明之間，具有賦予政治人物政治影響力的槓桿之存在意義。

5 在野黨曖昧不明的功能

在野黨的角色是什麼？

少了因選舉更換政權黨的政黨輪替，大幅影響在野黨應有的樣貌。

「在野黨」這個詞本身就有著不可思議的感覺。在野黨的英文爲opposition party，也可譯作「反對黨」或「對抗黨」。不過，「在野黨」給人一種局外人、第三者的印象，也帶有「未被賦予權力的政黨」的意義。這些字彙和「戴上徽章」一樣，帶有象徵議員資格用語的色彩。

例如，當普羅大眾認爲「在野黨不具存在感」時，大都是認爲在野黨應該在國會扮演阻止不受普羅大眾歡迎法案的通過。確實，在五五體制時期，社會黨等在野黨常阻撓自民黨的政策。不過，這是在自民黨持續執政的前提下，藉由國會對策政治展現其或多或少顧慮到在野黨立場、展現自民黨「遊刃有餘」姿態，而這也可以說是實際狀態。然而，輸掉選戰後的政黨卻能行使極大影響力，這並不是民主。「很像在野黨的在野黨」這句話，用來形容放棄獲得政權的在野黨，也不是不可以的。

在此應該注意的是，「在野黨」並不是某個政黨的名稱，而是一種角色扮演。

政黨坐上執政的位置，就被稱爲政權黨，一旦離開政權就成爲反對黨。這種理所當然的道理卻容易被忘記，乃是戰後日本政治的一大問題。總而言之，一旦朝野政黨關係固定，在野黨就會滿足於執政黨的部分讓步，並喪失了追求政黨輪替的目標，以及在競技場型國會中製造精彩場面的動機。雖然在野黨可以成爲社會上宣洩不滿的出口，但是卻難以成爲消除不滿原因的政黨。而且誠如前述，當朝野政黨透過國會對策政治秘密合作，朝野政黨的差異就會消失，尤其是每個政黨都有族議員的存在，有可能只會剩下執政黨議員爲一級政治人物、在野黨議員爲二級政治人物的區別罷了。這麼一來，只要對手放棄獲得政權、安於在野黨的地位，執政黨也就沒有失去政權的危險，作爲執政黨的責任感也一併消失。往往困難問題拖延不處理，或者將重要問題委託官僚等他人去處理，甚至出現將政策失敗的原因推到官僚身上，不願擔負起做爲政治人物的責任。

除此之外，執政黨議員忙於處理日常問題，反而少了思考長遠問題的心力。加上缺乏最能促進自身變化的下野經驗，很難要求執政黨議員勵行自我改革。另一方面，因爲在野黨沒有媲美執政黨替代方案，無法成爲取代自民黨失敗時的政黨，甚至連替代方案都沒有。

一九八〇年代後期，被指稱爲「從外部介入」（美國施壓）的現象，即是在說明只有外國政府能發揮在野黨功能的情況，顯示出政黨政治的衰退。

6 基礎薄弱的政黨與彙整民意功能

缺乏自律性的日本政黨

日本的主要政黨，無論朝野都具有一個極大的弱點，就是政黨的基礎過於薄弱。一九九〇年代曾頻繁出現的「政界重整」現象，即可作爲例證。在其他國家，政黨重組並不常見，一般多是耗費長時間逐漸演變而成。以其他國家來說，所謂的「政黨重組」，即意味著深耕於社會的政黨架構改變一事。例如，在問卷調查中，對於「你是什麼黨」這個問題的答案有顯著改變，代表政黨重組正在進行。

不過，以日本來說，「政黨重組」則代表了政界內的政治人物靠攏或離開某政黨的現象。多數國外的政黨擁有類似於冰山的結構，在海面上展現頭角的政治人物，都是海平面下巨大的政黨組織在支撐著。相對於此，日本的主要政黨與其說是由巨大組織支撐著，毋寧說是由具有濃厚色彩的議員集團在支撐。

當然日本共產黨爲組織性政黨，公明黨也具有相當程度的組織化。但是，就其他政黨的情況而言，光只是稱其爲政黨組織，就很容易令人產生排斥感。此外，如果說到組織，往往令人誤解爲政黨外部的工會、利益集團、宗教團體等，政黨儼然像是「冰山」一樣的形象相當淡薄。

有鑑於此，日本國內在實施問卷調查時，不會詢問「你是什麼黨」，而是問「你支持什麼黨」，甚至極端一點，會詢問「你喜歡什麼黨」。透過問卷調查以了解政黨的支持情況，也是呈現日本政黨應有樣貌的一個事例。

至於長期執政的自民黨，以「天下黨」之姿，放棄了一部分的政黨角色，反而像是政府機關一樣。在野黨也因爲受到朝野政黨融合現象的影響，逐漸自民黨化。這些政黨，難以獨力參與選舉。打選戰是政黨最重要的功能之一，以自民黨來說，受到中選區制的影響，派閥與候選人的個人後援會爲選舉運動的核心。尤其是個人後援會負責競選事務時，會令人產生政黨只是政治人物集合體的印象。因此，一般政治人物給人的印象就是訴諸人情世故，甚至不惜下跪、勝選後「戴上徽章」，接著再鎖定下一次選舉、累積個人政治活動等。以在野黨來說，社會黨、民社黨[3]的重要支持基礎爲工會組織，不少議員會委由工會組織協助競選。公明黨是仰賴創價學會[4]的支持則是無庸置疑的。從這一點看來，這與政黨「自身的組織」仍有一段距離。

也就是說，許多日本政黨在程度上雖有差異，但是，作爲政黨的自律性偏低，從這些政黨的支持基礎來看，很難從事以政黨爲核心的政治活動。

政黨與政策

在日本國內，政黨難以發揮匯集民意的功能。在中選區制時期或者是仍有殘留有其特性的時期，總選舉中的政策和政權並未融爲一體。也就是說，選舉只是平常「選民服務活動」的成果，並靠著人情世故吸引選票，因此較少提出政策訴求，也不涉及政權選擇。首相是派閥間合縱連橫的變化所選生，與總選舉無關。此外，政府也沒有受到選民託付的政策課題，而是利用官僚制提出問題，再以媒體的「輿論」那種模稜兩可的內容做爲制定政策的參考。

許多政治人物變成了「轉達選民陳情的政治人物」，對於提出大方向的政策毫

【3】譯註：「社會黨」正式名稱為日本社會黨，左右兩派的左翼社會黨於一九五五年十月十三日實現統一，與保守派的日本民主黨、自由黨於同年十一月十五日合併組成的自民黨，形成左右兩大政黨對立的「五五體制」。社會黨於一九九六年改名為「社會民主黨」迄今；一九六〇年一月，部分右派社會黨勢力脫離社會黨，另行成立民主社會黨，於一九六九年一月更名為「民社黨」，於一九九四年十二月解散。

【4】譯註：創價學會是日本政府立案的佛教法人組織，奉日蓮正宗為真神，是日本規模最大的新興宗教團體，具有強力的動員能力。公明黨於一九九九年十月首度與自民黨合作，成為小淵惠三第二次改造內閣一員以來，始終被自民黨視為選舉與執政的合作夥伴迄今。

不關心，把向政府如實地轉達選民需求，並發揮自己的影響力以實現選民要求，當作是政治人物的主要工作。

確實，這也是一種「利益媒介」，但是，卻遺漏了彙整民意的功能，意即整合各種利益、詳細調查其中的利害得失，並研擬出具有整體性的政策。

選民個別的要求與實際政策之間是有距離的。稅金繳得少、卻又能夠提供各種服務的政府是一種理想，但是，並不切實際。由於政府無法接受所有要求，因此必須限制要求，並將接受的要求轉換成一般的內容，而政黨就是要發揮這種功能。

換句話說，政黨一旦接受選民的要求，並據以歸納爲政策，在某種程度抽象化階段，判斷其政策合理性後做出決策。接著，有必要從該政策演繹出個別的措施。不過，這種政治過程對於日本的政黨來說，是有困難的。

雖然這些功能是以省廳代表制的形式，轉由官僚扮演其替代功能。但是，誠如前述，在省廳代表制之下，是難以展開大規模的改革。此外，光只是把個別政策加以堆積起來，從政策面來看，是欠缺整體性。日本的政黨弱點與政策體系弱點相結合，難以對應時代變化展開大規模改革。

Chapter 5

統治機關的比較——議會內閣制與總統制

本書迄今著眼於制度與運作的差異，探討日本議會內閣制的特徵，並對照其他國家的案例，闡述日本的特殊性。若是為了探討制度安排與當時的社會背景，參考比較其他國家的案例是有幫助的。

本章也會依照本書至今的模式，在與日本對比的意義上，粗略地篩選出理念型的事例，與日本政治進行比較。

首先從政治權力集中與分散的觀點，比較各國政治制度的型態。本書經常提及的「權力分立」、「三權分立」等憲政原則，在其他國家是否亦為政治運作所必備的前提條件？本章從幾個具有特色的國家，檢視各國政治的樣態。

1 權力集中與分散

英國——議會內閣制的成立與發展

英國為近代議會制的發源地，也是孕育出議會內閣制的母國，立憲制度與民主政治更是扎根已久。因此，除了美國、法國等例外的國家之外，幾乎所有「歐美先進國家」，皆模仿自英國的議會內閣制度。

但是，英國的議會內閣制原本是相當極端的型態，並非一般的政治制度，簡單明瞭的模型乃是其起點。英國政治是以議會爲中心進行運作，就某個意義來說，內閣（下議院的多數派幹部）與最高法院（上議院的法袍貴族）都可視爲議會的一部分。

檢視英國政治時，必須注意英國早期成立的君主專制與議會發生衝突，議會逐漸奪取國王實權的歷史過程。英國王權早期曾成功設立官僚制，但容易被人遺忘。由湯瑪斯・克倫威爾（一四八五？～一五八〇）與湯瑪斯・摩爾（一四七八～一五三五）等人奠定基礎的官僚制，在初期是扮演著絕對君主專制、其後政黨化的政府之工具。

目前的英國政治體制，源自於歷經十七世紀內亂過後，議會於一六八八年取得光榮革命的勝利。毫無疑問地，那是一種「議會中的國王」之統治型態。

議會掌握實權，建立了以國王爲名的統治體制後，議會中的各黨派便開始爭奪行政權，造就了托利黨（Tory Party）與輝格黨（Whig Party）等兩大政黨的成立。獲得議會內多數席次、取得執政權的政黨，其統治國家的手段即爲內閣。議會內閣制建立的契機，爲一七四二年，勞勃・沃波爾（Robert Walpole，一六七六～一七四五）在議會失去多數席次後，請辭爲事實上的首相職位之第一財政大臣職務，因而確認了首相的地位必須獲得議會信任的原則。此時，國王贈與沃波爾的唐寧街十號首相官邸，即成爲歷代首相傳承的政治財產，以政黨爲基礎的議會內閣制逐漸形成。

到了十九世紀，在保守黨與自由黨的兩大政黨運作的前提下，隨著選舉權的擴大，議會即扮演著民主政治的舞台。十九世紀末，在約瑟夫・張伯倫（Joseph Chamberlain，一八三六～一九一四）等人導入近代組織性政黨的支撐下，議會內閣制民主化持續進展，民主政治制度的議會內閣制因而成立。

此外，在一九一〇年代初，阿斯奎斯（Herbert H. Asquith）內閣時期因所謂的「勞合喬治（Lloyd George）人民預算」引發的對立，讓兩院制制約議會內閣制運作的態勢明確化。控制下議院的內閣持續勝選，讓上議院屈服後，才確立了下議院對上議院的優越地位。就連第二次世界大戰後，在表決攸關內閣存亡的法案時，「索爾斯伯利慣例」（Salisbury Doctrine）的確立，讓上議院無法做出反對決議，貫徹了議會內閣制的原理。

同時，黨內權力藉由兩黨制的組織化過程，逐漸集中至黨魁身上，又因行政國家化的趨勢，導致英國的議會內閣制賦予首相極爲強大的權力。此外，總選舉時提出的政見也逐漸彙整成爲計畫，讓競選政見在政權運作上具有重要的意義。於總選舉中選擇政黨、首相候選人、競選政見三個項目成爲英國型的選舉模式就此定型。

另一方面，所謂的「政府」，即是由贏得選舉、占有議會多數席次的政黨幹部所組織的內閣。所謂英國型的議會內閣制，即是在特定期間承認強大權力的集中，並藉由政治競爭維持緊張狀態的一種架構。

當然，各選區也會有各式各樣的候選人出馬競舉。綜觀英國國內，乃是由勞動黨、保守黨、自由黨等三大政黨爭奪席次。因小選區制的效果，讓議會內維持兩大政黨制，但整體社會並非是單純的兩大政黨制。此外，因爲議會採用多數決制，政府提出法案通常都能順利通過，但討論過程卻也相當踴躍。議員提出的法案大多無法通過，卻有不少法案會受到討論。另一方面，上議院雖然失去其權力，卻有研究指出，上議院透過修改法案的動作，活躍地展現其實質的立法功能。

由以上可知，雖然實際上仍有範圍限制，但被譽爲「西敏寺模型」的英國政黨制、選舉、議會內閣制的架構，擁有議會內閣制的理想型地位。而這種型態的議會內閣制，也擴大到加拿大、澳洲、紐西蘭等過去屬於大英帝國聯邦的一部分國家。

美國——權力分立論

從獨立的經緯來看，美利堅合眾國的政治制度雖然受到英國的強烈影響，但是，卻朝向不同的方向發展。最重要的是，美國的獨立戰爭（一七七五～一七八三）是對於當時不承認殖民地自主性的英國議會之叛亂。忽視強大的英國議會存在，便無法理解「無代表，不納稅」這句口號，當時能夠成爲通用語的背景。因此，權力分立論在美國具有極爲重要的意義。孟德斯鳩的權力分立論，所描述的理想化英國政治，實際上並不存在，而是在美國獨立之際，實際地將其引進美國政治制度。

本來在成功獨立後，也有不少人反對引進聯邦制，而當時制定憲法的課題，便是爲了抑制聯邦政府的規模與權力。因此，美利堅合衆國憲法採取了各種權力分立措施。

例如，聯邦制是以州政府爲基礎單位的國家體制，憲法中也嚴格訂立了立法、行政、司法三權分立的制度，聯邦政府的權限則僅限於憲法條文中所賦予的範圍。立法權分爲權限對等的兩院制，只有在兩院意見一致時，法案才會通過。總統則被賦予否決權的制衡制度。

當然，在美國獨立戰爭剛結束不久的時期，會聯想到對外戰爭等危機，因而將外交及軍事相關事務的權力集中於總統身上。總統的職位是爲喬治・華盛頓（George Washington，一七三二～一七九九）而量身設計的，在戰時將權力集中於總統身上，在平時則由總統依照受限制的議會立法所通過的政策事項，淡定地付諸實施。

另一方面，也藉由兩院制，或是立法、行政分立等方式，抑制有行使強大權力之虞的政黨。當時，政黨被視爲結幫成夥的惡棍集團，似乎是不受人歡迎。

不過，實際上政府一旦成立，黨派間就可能爲了總統選舉而出現對立，也因此形塑了政黨體系。加上出現一些必須行使聯邦政府權限的問題，如南北對立等情況，讓聯邦政府的重要性提升。黨派對立逐漸轉變爲兩黨制，政黨成爲美國政治不可或缺的議題

關於兩大政黨制，也是經歷過十九世紀政黨替換等變動，到了南北戰爭結束後的重建期，今日共和黨、民主黨共存的兩大政黨制始告完整齊備。在權力分立制之下，議員也是各自採取行動，但是，在總統選舉之際，這兩個政黨不僅是變身爲全國性政黨，更在各地具有一定程度穩定的政黨組織，確立了兩大政黨的政治基礎。

十九世紀期間，聯邦政府的重要性與今日相較來得低，但是，隨著美國經濟的發展，聯邦政府的事務也逐漸因聯邦通商條款等法案而增加。兩大政黨爲了權力分配而爭奪，使得以紐約民主黨地區投票組織「坦慕尼協會」（Tammany Hall）爲代表的地區權利政治更加活躍，政黨政治也就此扎根。就這意義來說，十九世紀的美國政治仍以議會爲中心。

但是，歷經美國與西班牙戰爭以及介入第一次世界大戰後，美國一舉躍上國際政治舞台，並且發展成爲經濟大國，行政部門的角色日趨重要。加上各州陸續要求各種政策，以解決都市問題或建置產業基礎，讓負責處理的聯邦政府工作隨之擴大

了。原本只是爲了一元化處理戰爭與外交事務而存在的總統職位，也隨著美國擠身世界大國，而使得總統角色變得更加重要。

一九三〇年代經濟大恐慌後的重建期間，以及一九四〇年代第二次世界大戰期間，由富蘭克林・德拉諾・羅斯福（Franklin Delano Roosevelt，任期一九三三～一九四五／一八八二～一九四五）在提出「新政」（The New Deal）政策後，接著再領導戰爭，讓聯邦政府轉型爲行政國家，總統職位的重要性也更加明確。到了這個時期，白宮已不單只是總統官邸，更是龐大行政組織的代表。

在此之後，美國總統積極制定政策、主導立法，也對於與行政部門關係緊張的司法發揮一定的影響力。此外，與議會的關係方面，則出現議會選舉受總統人氣所左右的現象，也就是「從衆效應」（bandwagon）、「衣尾效應」（coattail effect），令人無法忽略總統對議會的影響力。其所造成的結果是，政府提交審議的預算草案，即使會受到議會的大幅修正，但是，還是由行政部門掌握主導權。實質上由總統主導的法案數量逐漸增加，嚴格的三權分立原則緩緩地崩解。

即使如此，當總統以及上議院或下議院分屬不同政黨時，亦即出現所謂的「分裂政府」，權力分立制度會變得更加明確。以常態性分治政府爲前提，在複雜的討價還價聲中展開政治運作、立法活動，可以說是美國政治的一大特點。利益團體的活躍，將總統與國會議員捲入利害協調的漩渦之中。一九八〇年代之後，由於對這些狀況的反彈，揭櫫小政府主張的共和黨陸續在各大選舉中占有優勢。此外，黨派對立再次增強，議會中的政黨規範也出現日趨嚴格的傾向。

綜上所述，美國的政治制度朝向與建國之初預設完全不同的方向發展。在此意義上，我們必須要理解的是，總統具優勢地位的政治型態，並非政治制度建立之初所預想的，而是在歷史進程的摸索過程中所形成的結果。

法國——議會內閣制的失敗與半總統制

法國雖然是擁有悠久傳統的國家，但是，政治體制卻時常變更，現行的政治制度爲歐美先進國家中最新的制度。法國近代政治史始於十八世紀末的法國大革命，革命所樹立的體制屬於議會中心主義。了解議會勢力的強弱，乃是解讀法國政治制度的關鍵。總之，如同美國獨立後揭櫫脫離英國議會制度而獨立，這是屬於議會的時代，法國大革命中的革命獨裁也是以議會爲基礎。

之後，歷經各種體制的變更，法國的政治體制如第三共和（一八七〇～一九四〇）、第四共和（一九四六～一九五八）皆以總統作爲元首，但是，基本上仍是屬於議會內閣制國家。

不過，第三、第四共和時期的法國，其內閣並不穩定。議會中政黨林立，不斷出現黨派聚合分散的狀況。就連好不容易組成的內閣，也因爲組成聯合內閣的政黨用一些理由脫離政府，屢屢導致聯合政府垮臺。

反過來說，因爲法國貫徹議會主義，更以議員行動的自由爲前提，甚至有「議員主義」之稱，導致政黨對黨籍議員的個人、或者是政府成員的束縛極爲寬鬆。透過議會中的「討論與說服」以形成多數派的十八世紀議會觀點來看，這樣的情況不足爲奇。不過，這對議會內閣制來說，卻是個極大的阻礙。當然，面臨危機時的戰爭內閣或大聯合政府等政治上的考量也是有的，惟其政治體制卻暗藏不穩定因素，乃是不難想像的。

接著，在一九五八年阿爾及利亞戰爭期間，終於出現政府無法控制軍方的情況，遂由第二次世界大戰的英雄，也具有軍人從政經驗的戴高樂將軍組織內閣，第四共和也因此畫下句點。因爲夏爾・戴高樂（Charles de Gaulle，一八九〇～一九七〇）認爲，政治制度本身有問題，爲了創立新的政治體制，因而呼籲修憲，並且在公民投票中獲得支持。

因此，一九五八年成立的第五共和，其政治制度稍微難以理解。自一九六二年修憲以來，總統已改爲直接民選產生，掌握實質上的權力。但是，在與議會的關係上，卻留下了由總統任命首相組織內閣的制度。由於內閣必須獲得議會的信任，也擁有議會內閣制的一面。因其具有總統制加上議會內閣制的要素，法國的政治制度被稱爲「半總統制」。

第五共和在戴高樂擔任總統期間，受其壓倒性的威信所影響，就連議會選舉也都是由戴高樂派的政黨獲得多數席次。不過，從喬治・龐畢度（Georges Pompidou，任期一九六九～一九七四）接替戴高樂出任總統後，經常出現總統所屬政黨與議會多數派政黨不同的「左右共治」現象。但是，這種介於總統制與議會內閣制間的半總統制，出現因爲左右共治引發功能失調的危險。

不過，只要總統地位獲得保障，議會也不得不協調好關係；相對的，對總統來說，沒有了議會，政府便無法運作，雙方都會尋求妥協之道。從法蘭索瓦・密特朗總統（François Mitterrand，任期一九八一～一九九五／一九一六～一九九六）開始，遇到左右共治的情況時，即採取由總統負責外交、國安領域，由首相、內閣負責內政領域的分工合作體制。從這個意義來看，則具有權力集中度較弱的議會內閣制之意涵。

然而，觀察近幾年的情勢，總統選舉在各類選舉中占有優勢，分極化的政黨體系也匯流成爲左右兩大陣營。總而言之，左右兩大政黨在總統選舉爲主軸的激烈選戰，也與議會選舉產生連動關係。到了二〇〇一年，從賈克・席哈克（Jacques Chirac）總統將總統任期由七年縮短爲五年，並將議會選舉調整成與總統選舉同時期舉辦後，議會的組成便有受到總統選舉結果影響的傾向。

由此可見，半總統制的制度固然複雜，但是，在政權選擇上，則兼具議會內閣制與總統制的優點。

韓國——總統制主導體制

相較於具有議會制傳統的歐美國家，檢視一個截然不同的政治體制，能讓比較政治的意義變得顯更爲明顯。舉例來說，比較近年民主政治逐漸扎根的韓國總統制，以及美國的總統制，就能觀察在不同條件下，政治制度的運作方式。

先前在介紹英國與美國政治制度時，曾提及英國的議會內閣制造成權力的集中，美國的總統制或權力分立制則造成了權力的分散。不過，若比較日本與韓國的政治制度，可見日本的議會內閣制造成權力的分散，而韓國的總統制卻造成了權力集中，這種現象引人深思。光看這兩個比較事例，就可知道議會內閣制與總統制造成的結果並不完全一致。爲什麼韓國的總統制有較強的權力集中傾向呢？

韓國與美國相比，最大的差異在於是否採用聯邦制，以及權力分立概念是否深入紮根。在美國方面，擁有啓動權力相互制衡裝置的強烈意識。相對於此，韓國在傳統上對於法律支配的觀念則較爲薄弱。

以韓國來說，司法部門對於依照政府指示行動一事，較無排斥感。加上議會制的傳統尚淺，議會較少扮演著國民統合的主角，反而是人民對總統的人格統合作用的期待，在轉型爲民主制度以前即很強烈。日本經常想像的強力政治體制「強大總統制」，韓國還比美國更適合爲模範。

韓國在金泳三政權（任期一九九三～一九九八／一九二七～）爲止，大多由總統主導的政黨擔任執政黨，在議會運作上也擔任主要角色。人民對於總統實際控制議會一事並不會感到不對。總而言之，政黨或議會較少發揮對抗總統的功用。因此，在韓國政治運作中，除了議會內多數黨的作爲，或是政黨間的討價還價之外，存在於議會外的在野勢力和政府的直接對立也具有重要意涵。此外，與日本相同的是，透過政府的行政資源分配達到國會議員組織化，在這方面也是由總統所主導的政黨占優勢。

這種情況下，憲法規定總統不可連任的「單任期制」，令人產生對總統強大權力發揮抑制作用的期待。不過，每當新舊總統交替，前任總統或其親屬的不當行爲就會遭到告發，使得前任總統喪失其權威，這種事實不禁令人懷疑民主權力轉移是否尚未制度化。而這種現象也令人對於總統任期內的權力集中，以及缺乏牽制機制留下深刻的印象。

不過，這種現象的背後，可說是存在著韓國的強烈地區主義。總而言之，位於韓國東南部的慶尙道具有優勢的政治結構，這也可以看出只是以政黨的型態支持總統。因此，像金大中與盧武鉉政權那樣，以韓國西南部全羅道等不是傳統保守派的政權，支持總統的政黨便無法在議會中取得多數席次。因此，原本預想是接近於法國半總統制的權力分立制的要素會很強，但是，在憲法上的總統權限仍然強大，總理的產生與議會的勢力分布無關等，足以看出其與總統爲中心的政治體制並無兩樣。

像這樣並未落實權力分立的總統制，在拉丁美洲相當常見。在這些國家的民主化過程中，總統制或許只是其中一種政治體制。不過，在多數的場合，採取總統中心制的國家，會被視爲議會制或政黨政治並未確立的國家，加上立憲制並未深入人心，倒退回強權體制的例子並不少見。這類總統制與民主政治或立憲制扎根的關係，仍須謹愼觀察。

行政權運作的集中與分散

透過權力分配檢視政治制度時，若議會制早已扎根，則議會內閣制偏向權力集中，總統制偏向權力分立。但是，尙有一個必須注意的部分，便是行政權的結構。

英國型的議會內閣制有政治權力集中的傾向，但是，即使是同樣採用議會內閣制的國家，當政黨政治較弱時，會由其他勢力發揮作用。若以日本作爲較極端的事例來看，歐洲各國大多只有緩慢權力集中的情況。在政治權力上，當立法權與行政權結合時，可以說是具有藉由行政權的分散以取得平衡的現象。

相對於此，以採用權力分立制的美國總統制來看，因爲行政權集中於總統，姑且不論其實際效力如何，在權限內的所有權力皆集中於總統身上，出現了極爲強大的權力核心。

如此一來，當著眼於行政權內部結構，比較英國議會內閣制與美國總統制兩者關係時，就像前者是分散型、後者是集中型一樣，會發現與政治權力的情況完全相反的關係。而法國第四共和期間，因原本的議會不團結，難以建立穩定的內閣基礎，但是，也因爲導入總統制，讓行政權力集中於獲得國民支持、且具權威的總統身上，藉此創造出權力核心，進而解救了第四共和的危機。

但是，爲了讓這種體制發揮作用，就必須建立起一個可以讓總統選舉有效進行的穩定政黨，以及充滿競爭的政黨體系。僅靠直接民選與行政權力集中，政府無法和相互對立的議會進行協調，政策課題的執行也容易陷入停滯。爲了在總統制獲得實際績效，如何與議會做好協調就是最重要的課題。若議會權力較弱，這個問題看似不會發生，但是，議會權力弱代表的是代議制架構也較弱，容易在民主政治扎根上出現問題。

這樣看來，僅靠直接民選與強化行政權，是無法達到權力集中的結果。如何創造出權力核心，並確保民主的控制，不僅牽涉到政治權力的配置，也與社會情勢、政黨支持基礎等因素，以及國民價值觀等條件息息相關。

實際上，觀察美國的權力分立制，在近幾年逐漸轉變成以總統爲主的政治體制，就可得知在現代已難以貫徹權力分立制。由於權限委任關係明確的議會內閣制，能夠妥善處理立法部門與行政部門的關係，可以說是一種比較簡單的模式。

2 政官關係

官僚與政治人物的微妙關係

前文已探討過權力分立論，但政治體系並非僅是靠議會內閣制來運作的。不著眼於政治人物與官僚之間所謂的「政官關係」，不能理解的現象也多。

追求「強力領導能力」的人，都希望將日本政治制度改爲總統制。抱持這種想法的人應該是認爲，只有採用總統制，政治人物才能控制官僚。當然，經由選舉產生的美國總統可以自行選擇高級公務員，確實能達到對官僚的控制。不過，並非採用議會內閣制就難以控制官僚。無論是英國還是法國，都不常見到政治人物對於官僚的控制有任何問題。造成問題的不是政治體系，而是政官關係固有的問題。日本在控制官僚上發生問題，或許是因爲將「官僚內閣制」的慣例，視爲議會內閣制固有現象所致。

提到政治人物與官僚的關係，大都會針對政治行政分斷論與政治行政連續論互相對比。政治行政分斷論認爲，政治與行政的工作完全不同，應該儘可能地讓政治人物的工作與官僚的工作明確地劃分，讓他們個別遂行任務。政治行政連續論則認爲，政治與行政雖有不同，但實際上無法明確劃分，政治與行政領域有相當程度的重疊。

其實，在近代政治制度開始建構之初，並沒有太多人意識到這個問題。例如，美國就會以「獵官制」（spoils system）的形式，讓負責處理行政業務的公務員選任作業受到選舉左右。不過，這麼一來會導致政治與行政的劃分不明確，在十九世紀末，就曾出現政治腐敗的情況。因而引發各種批評，像是貫徹民主政治反而招致行政腐敗，或是因爲民主政治導致行政效率受損等。

受此影響，政治行政分斷論提倡應該設立相關規範，主張以專業能力被錄取的官僚，應具備一定自主性以處理行政業務。結果，透過資格任用制（merit system）的考試等方式，錄取能力獲得實證的人擔任官僚的制度就在美國實施。同樣地，歐洲也開始進行官僚制的近代化，從原本屬於身分承襲制的官僚，轉爲以資格任用制爲基礎的官僚制度，整備出以能力爲本的選拔、享有終身雇用待遇的官僚承擔行政業務的架構。

然而，基於政治行政分斷論規範進行改革，即使獲得一定的成果，仍與實際狀況不同。因爲，政官關係隨著時代變化而變化，政治人物與官僚的角色相互交錯，也會出現政治行政連續論所主張的情況。當然，這些情況並非回到原本的型態，而是政官關係進到其他層面所致。舉例來說，一九七〇年代以後的政官關係論中，在實際狀況分析的情況下，政治行政連續論漸趨重要，以此爲前提彙整政官關係的現象也變得更多。

不過，一九九〇年代起開始廣泛流傳的新公共管理（NPM）論者主張，爲追求效率，應該將企劃與執行區分開來，兩者各自獨立進行。因此，政治行政分斷論的觀點，也透過其他形式重現。也就是說現代的政官關係，不僅無法將政府活動區分爲政治與行政並分別對待，也因爲企劃與執行觀念的導入，讓問題變得更加複雜。

今日，官僚的角色與功能必須經過更具體的分析，有許多無法僅依靠「官僚壞蛋論」與「官僚期待論」就能完美處理存在的問題。例如，非民選產生的官僚獨立判斷的正當性根據，是源自於其專業能力的效率與有效性，且須在具有黨派色彩的政治人物或政治決策中維持中立。在貫徹民主控制的同時，又苦惱於行政上的黨派色彩問題，也是各國目前的實際情況。以下將一一檢視各國情況。

美國——政治任命制

美國是最盛行政治任命公務員的國家。因選舉或與選舉有關的人事異動滲透極深，在州的層級中，甚至連司法相關職位都可以透過選舉產生。過去甚至還有總統的政黨輪替後，甚至連郵局局長等職位都會全數換人的情況。根據統計，即使是人數大幅減少的今日，在聯邦內擔任主要職務者，仍有大約三千兩百人左右屬於政治任命。政治任命指的是，透過選舉選出的具有任命權者可以自由選任公務員，當任命權者卸任時，原則上這些公務員也喪失其職位。

政治任命是一般選民選擇政府領導人的民主政治最直接的表現，領導人被選出後，理所當然地選擇自己的部下，就是基於這個最簡單的道理。因此，以具有久遠官僚制傳統的國家來說，政治任命制度看似有些奇特，卻意外地獲得了極高的支持。

這個制度的背景，源自於只要有責任感，誰都能執行公務，且希望執行符合社會價值觀的公務之發想。即使到了政治任命受到限制的現代，這個想法依然根深蒂固地存在。另外，建置一個可以反映社會結構（例如少數族群仍應有一定程度以上的公務員任職人數規定）的代表官僚制想法仍保留至今，也與政治任命制息息相關。

誠如前述，美國兩大政黨確立的十九世紀，當時利益政治逐漸活躍發展。到了十九世紀末期，政治任命制度也被批評爲利益政治的核心制度。毫無經驗的外行人，只因爲政黨活動或選舉運動的報酬而獲得政府官職，導致行政活動無法正常執行或不具效率。

受到被稱作市政改革運動的草根行政改革運動之刺激，嘗試由專家負責行政、設置行政委員會等部門，以及專業官僚任用等課題浮出水面。美國也受到當時歐洲趨勢所影響，企圖導入資格任用制。然而，這個措施的目的，與其說是形塑作爲身分的官僚階級，毋寧說是爲了將具有符合特定職務能力者分配至適合的職位，也是爲了個別錄用專家而設計的制度。因此，即使美國的政治任命受到限制，除了軍隊等一部分例外，具整體性的官僚階層也不太多。

針對政治任命制度，雖然有些讚揚其選用優異外部專家的意見，但是，這種意見過度美化了美國的實際情況。若要強調政治任命的各個方面，除了可發揮專業能力之外，政治上的忠誠度往往成爲一大問題，不能僅以狹義的專業能力作爲錄取的標準。

因此，在一九八〇年代之後，政府終於注意到因政治任命制度的實施，每逢政權輪替之際，就會有大量公務員替換的弊害，也開始試著以中間管理階層為主，建構終身職的官僚制。

不允許強固的官僚制，且政策形成過程相當開放，不侷限於政府內部等特點，是美國政治的一大活力。不過，同時有可能因為各種問題，而衍生出政府能力不足的情況。

英國——常設官僚制與政治中立

在近代的早期階段，絕對君主時期的英國就出現可以說是官僚制萌芽的現象，在此基礎上常設官僚制發展起來。此一常設官僚制，係指以保障終身雇用身分為前提，培養高級官僚並形成具有整體性的官僚團體。

這種官僚制隨著政黨政治的發展，逐漸成為類似獵官制的運作。但是，在十九世紀中期之後，因資格任用制的擴大運用，讓這些公務員逐漸成為具有專業能力的官僚團體。英國的官僚和日本的高級官僚相當類似，大都是出身自較為優勢的階級，從牛津、劍橋等一流大學畢業，受豐富人文教養培育，進而錄取，並以官僚為其畢生志業的人才。同時期的英國，也出現了以法律專家、醫師為典型的專門職業，建立起依憑渠等獨自的職業倫理與同業間相互評價爲基礎的能力保證機制，也讓這些人以專家團體的身分，形成在社會中較具優勢的階級，官僚方面也同樣誕生這種職業倫理。

隨著英國政黨政制逐漸民主化，透過選舉的政治被落實，以不斷重複上演的政黨輪替爲契機，誕生了英國官僚獨特的政治中立性原則。不過，英國官僚在表面上並不主張政治中立。總之，原則上官僚爲宣誓效忠於國王（女王）的政府成員，必須服從於國王代理人的執政者。身分受到保障的官僚，須依循當時執政者的想法擬定政策，並監督政策的執行，就成爲他的職務內容。因此，即使是執政黨的政治人物，如果與官僚之間不存在指揮命令關係，也就是並非大臣的政治人物，官僚就須迴避與其接觸，以免紊亂了指揮命令關係。

官僚必須對當時的執政者，也就是首相或閣僚等執政黨幹部效忠一事，表面上看起來似乎未保持政治中立。不過，一旦總選舉結果出現政黨輪替，官僚也會以相同態度服從於新執政黨幹部，以這角度來說，官僚並不具有特定黨派色彩。

英國官僚政治中立的內涵，就是隨時效忠於經選舉成立的政權。因此，在可能引起政黨輪替的總選舉期間，高級官僚的重要工作，便是檢視各黨的競選政見承諾，並準備相關政策，以利在政權成立後提出。即使相同的政黨可能繼續執政，對於其他政黨的政策仍須一視同仁地加以檢討，這是官僚應該有的態度。

當然，即使官僚服從於大臣之下，當官僚以其專業角度，對大臣的指示感到疑惑時，就應該提出意見。不過，當大臣不接受其建議時，也沒有規範規定官僚可以無視於大臣的指示。從這個意涵來看，則是貫徹了政治上的控制。實際上，若大臣沒有能力時，也可能發生偷懶、怠工等情況，但是，這並非是理所當然的現象。

此時，可將官僚與政治人物的工作視為兩種不同類型，從官僚轉型為政治人物的情況極為罕見。從待遇來看，比起靠選舉產生的政治人物，具有高度專業能力的職業官僚待遇也較佳，官僚可以依其職務內容不同的方式而保有其獨立性。

綜上所述，英國可透過人為的方式實現政治行政分斷論，但是，在實際情況下，政治人物與官僚之間的政官合作關係，可以依據各自的功能來進行。

法國——高級官僚的二分化

法國常被稱為是受官僚所支配的國家。確實，高級官僚是以菁英的身分巍然存在於社會中，各領域的上流階層中，出身官僚者比比皆是。但是，法國的官僚並不像日本官僚一樣，各省廳官僚各有其自律性以擬定政策。法國自有其官僚的政治統制機制。

法國官僚制具有絕對君主時期的傳統，但是，其直接的起源來自於拿破崙帝政時期。那是一種透過近代學校制度招募人才的資格任用制。法國的官僚制分成不同的團體，勢力強大的官僚集團被稱爲行政職團（大官僚團），其中又以國務院（Conseil dÉtat）官僚、財務監察官、審計檢查官最具權力。這些官僚集團大多是從「大學校」（grande école，高等專業學院）成績優秀的畢業生中挑選出。不過，最有影響力的官僚是經過政治學院後，再前往國立行政學院（ENA）[1]者。據說ENA的成績必須在前五名以內，否則就無法成爲國務院的官僚。此外，大學校還可以分爲綜合理工學院、高等師範學院等類型。

隸屬於行政職團的官僚，因其所屬機關的員額較少，常會被分配至各式各樣的政府機關，其中最爲有影響力的則是各部會的秘書處。法國的行政機關分爲秘書處及各局處等單位，據說法國每次組閣都會造成中央行政機關改組，但是，只要聚集幾個局處，並設置秘書處就能成爲一個官署，加上各局處的自主性極高，可產生不同的組合方式，各局處和秘書處之間則存在著人事交流的障礙。

分配到秘書處的菁英官僚，具有極強的政治任命色彩，意即大臣會任命其信賴的官僚（通常爲大臣擔任官僚時期的下屬）擔任秘書長。法國的官署並未設置事務

【1】譯註：國立行政學院已經被法國總統馬克宏廢校，改稱為國立公務學院（Institut national du service public, INSP）。

次官，因此秘書長就等同於該省廳官僚之首。秘書長當然就是調集聽從自己指示的官員，組成秘書處。通常新的政策或法案，都是由大臣身邊的秘書處負責擬定，就這一點來說，和政治人物有關的地方，就是透過對秘書處的控制，達到政治統制目的。

另一方面，除了這些有影響力的行政職團所屬菁英官僚之外，各省廳所屬局處內也有具備專業能力的官僚存在。

各局處的官僚大多會在原單位內升遷，局處首長原則上也屬於自由任用，但是，即使大臣更換，通常也會留任，不同於政治任用。從這一點來看，在政策擬定之際，政治控制的色彩較濃，但是，到了較接近政策執行階段的各局處時，政治控制的色彩就顯得較淡，以此方式取得兩者之間的平衡。

當內閣輪替或大臣請辭時，秘書處的官僚便會失去職務。不過，法國的高級官僚即使離職，也能維持官員身分，擁有領取一定薪俸的權利，並不等於是失業。行政職團內部雖然有因政治傾向、人際關係引發的對立，但是，也有同期之間的團結意識，若有官僚失去職務時，大都會協助其擔任國營企業的經營職位，或是不具政治性質的官職。

法國的官僚能否擔任政治上的重要職位，雖然具有較強的政治任命色彩，但是，因爲只有具備官僚身分的人才能成爲官僚，再加上其官僚身分獲得保障，沒有美國那種獵官制的色彩。有不少出身行政職團、具有官僚經驗的官僚會踏入政壇，或者是轉任企業經營者。當然，他們也可以選擇繼續擔任官僚，順利升遷，有些官僚便是以頂點的國務院作爲最終目標。法國高級官僚的特權性具有其特徵，惟並非與政治控制毫無關聯。

德國——市民的官僚與聯邦制

在德國，自普魯士官僚制以來就有特權官僚制的存在，其後因爲戰敗受到軍事占領而一度瓦解。西德政府成立後，恢復了官僚制。但是，因爲實行聯邦制的原則，聯邦政府內的官僚較少，且多以擬定計畫爲主要業務，和利益、權利之間有段距離。

源自於爲對戰前特權官僚制度的反省，戰後的官僚強調「市民的官僚」，但是，卻也設置了令人意外的保障官僚參與政治活動措施。官僚中有人毫不掩飾其所屬政黨，也有人與執政黨政治人物有直接關係。當然，這些關係不同於正式的指揮命令系統，但是，這種非正式關係也有不少具有重要意義。

這種非正式關係的象徵，就是德國的轉換型議會。德國議會爲了尋求朝野政黨的妥協、透過議會審議以通過法案，官僚會在不公開的委員會審議上發揮一定的角色扮演。此時，會有不少官僚與政治人物一同表達實質的意見。德國的政官關係，不同於嚴守政治中立，或者是在政治對立之中、立場劃分明確的官僚制。

不過，這種聯邦層級的政策，很多是要由地方的州政府層級去執行，並透過中央與地方分權的防坡堤，以防止官僚的政治性與腐敗相連結。此外，德國的官僚、官吏也受到厚實的身分保障，可以避免受到政治任命的不穩定因素影響。

如上可見，美國、英國、法國、德國的官僚制與政治人物之間的關係，因各國國情而異，但是，並沒有一個國家藉由規定以否定政治人物對官僚的統制。實際上，各國甚至設置了各種制度，以期有效發揮政治統制。

3 多數派民主政治與比例代表制民主政治

是否有優劣之分

至今已透過權力分立制以及政官關係，檢視過政府內部的結構，若要檢視政府與社會的關係，代表制的應有型態也就相當重要。關於這一點，在政治學上，把多數派民主政治與比例代表民主政治進行對比。

英國是孕育出議會內閣制的國家，同時也是創造出以兩大政黨爲主的議會運作，以及因此而誕生小選區制的國家。所謂小選區制，是指一個選區僅能有一人當選的選舉制度，在該選區中取得多數票者，就能單獨取得代表身分、具有勝者全拿的特性（當然，若單看特定政黨，則各有勝選及敗選的選區。整體來看，並非所有的議席都屬於第一大黨）。因此，以此制度爲基礎的民主政治，便稱爲多數派民主政治。

因爲英國是議會內閣制及民主政治模範的國家，英國模式在歐美各國具有極強的規範意涵。不僅只是大英國協成員國直接模仿英國的制度，即使是對英國反彈而採取不同政治制度的美國，也讓以小選區制爲基礎的多數派民主政落地生根。

特別是英國在採用小選區制這種選舉制度之上，存在著權力集中的組織性兩大政黨，政府結構也是以首相爲中心的權力集中型態，其權力核心十分明確。因此，和少數派尋求妥協的管道很弱。從兩次大戰之間持續存在的保守黨、勞動黨兩大政黨制，因爲各自代表各式各樣的利益，也發生過政黨輪替，看起來似乎沒有其他被忽視的族群，但是，事實並非如此。實際上，與自由黨相關的政黨雖然獲得了一定的票數，卻幾乎無法獲得議席，經常被排除在政權之外。其原因在於保守黨與勞動黨擁有能夠確保席位的區域選區，而自由黨等只能在全國選區獲得選票。

當社會存在著嚴重對立，或有不可忽視的少數派集中出現時，這種制度就會引發嚴重問題。無論經過多少次選舉，總有集團絕對無法執政，又無法與其他集團融合時，就會對選舉的正當性及國民統合產生疑問。

以荷蘭來說，過去因不同宗教、階級，產生了許多政黨，但是，每個政黨的支持基礎都相當穩固，每個政黨的支持者也不會出現重疊，造成所謂「固化」現象，整個社會分成不同的集團，政治狀況混沌不明。因此，各個政黨之間並不會出現支持者大幅變動的情況，選舉制度也採用比例代表制，以期讓各政黨能夠持續運作。也因爲這樣，議會內的多數派組成相當複雜，不僅須組成聯合政權，政黨的組合也有許多變化，通常須透過複雜的聯合交涉，最後才能組成政權。從總選舉結束後，有時甚至須耗費一個月以上的時間，才能建立新的聯合政權。

在此狀況下，若將英國模式視爲正統，則荷蘭的情況便不合乎常規。但是，如果政權能夠確實運作，就可將之視爲一個不同的模式。這就是多極共存的協和式民主（Consociational Democracy），也有不少觀點認爲，這樣的民主模式更理想。

這些想法上的差異，也直接影響對選舉制度的選擇。如前文所述，小選區制較易導致議會中的兩大政黨制，是可以引導至多數制民主政治的手段。比例代表制則更容易形成多黨制，並演變爲可以保障少數派的民主政治。但是，不管是哪一個國家，並不是只要變更選舉制度就可以形成這種結果。

相反的，政黨的樣態會大幅度受到構成政黨基礎的社會架構所限制，選舉制度反而是配合政黨樣態而被採用。尤其是以荷蘭的情況來說，當社會中具有排他性的各個族群並存，即便是比較上的第一大黨也僅獲得極少數支持，由這樣的政黨獨占議席，也較難具有正當性。

社會各族群的區分界線，也就是「社會分歧」（Social Cleavage）較明確的國家，只能選擇比例代表制。此外，地區對立較明確且固定時，即使採用小選區制，只要選出固定的地區代表，就無法透過選舉反映出政黨支持度，或是政權支持度的變動。多數制或比例代表制之間，並不只是選擇的問題，而是制度與社會狀況的函數問題。

日本的選擇

比起討論兩種民主政治制度誰優誰劣更重要的問題是，是否每隔一段時間就會出現政黨輪替，或是可否透過選舉選擇政權等問題。

政黨輪替是個相當困難的問題，如果一個國家長期以來，都未透過選舉出現政黨輪替情況，難免令人懷疑是否有什麼不正當行爲，導致民主政治無法發揮作用。不過，也有反對意見認爲，優秀的政黨時常勝選並不是什麼壞事。判斷政黨輪替是否該發生，並不是一件容易的事。但是，至少可以肯定的是，政黨輪替的可能性必須隨時存在。

以日本政治來說，最基本的問題，便是如何讓可以實施政黨輪替的民主政治成眞。日本戰後政治從一九五五年以來，幾乎都由自民黨執政。其中，細川護熙內閣雖然是個例外情形[2]，但是，其內閣並非選舉前組成的聯盟，而是斟酌選後的政治情況，經過聯合執政交涉而建立的內閣，不是透過選舉造成典型的政黨輪替現象。

當然，依據比例代表民主政治的想法來說，像細川政權這樣透過聯合執政交涉建立政權，完全沒有問題。眞正的問題，反而是在自民黨擁有壓倒性優勢中，要在中選區制時代的政黨體系，是不可能透過選舉凌駕自民黨。在此意義上，政黨輪替可能的民主政治，以一般論的觀點來看，比例代表制也是可以實現政黨輪替，但是，當強勢執政黨持續執政時，利用小選區制擁有的兩大政黨制的傾向，也是創造出強力在野黨的方法之一。

一九九四年透過公職選舉法修改所進行的選舉制度改革，便是依據這種想法所創造出來的結果。最重要的是，這次的制度改革試圖創造出可促進政黨輪替之民主政治政黨體系，以及適合此體系的政黨組織。其具體意涵將在下一章詳述，但是，必須要先了解的是，這種制度選擇並不是憑空想像出來的，而是應該參考過去的背景，並且依據現實情況做出選擇。

【2】譯註：本書出版後，二〇〇九年八月三十一日舉行的日本眾議院總選舉，在野的民主黨擊敗自民黨，贏得總數四八〇席中的三〇八席，讓自民黨第二次下野。贏得過半數席次的民主黨，在選後與保守派國民新黨、左派社會民主黨組成聯合內閣。不過，二〇一二年十二月十六日舉行的眾議院總選舉，由安倍晉三領導的自民黨擊敗民主黨，奪回失去三年有餘的執政權。

Chapter 6

議會內閣制的確立

1 日本政治欠缺什麼

戰後日本的政府結構

日本的議會內閣制特色具有什麼含義呢？如果只說是「運作方式與英國不同」，並沒有點出問題所在。因爲，政治的型態並不是只有英國的議會內閣制一種。另外，也無法斷定「沒有透過選舉實現政黨輪替，就不是民主政治」。因爲在民主政治體制下，即使存在著有效的政治競爭，最後並未導致政黨交替，也是預想得到的狀況。問題不在於是否採取議會內閣制，或是否屬於民主政治，而是在於更具體的內容。

戰後日本政治的特色充分發揮，是在一九八〇年代中期。民主政治因戰後改革而正當化，更在經濟高度成長期推動制度化，形成日本式民主政治。而日本政治特色全面開花結果，則是在日本度過了石油危機，日本政治架構受到整體肯定，甚至被譽爲「日本第一」（Japan as Number One）的一九八〇年代。當時的日本政治研究受到後現代主義的時代思潮所影響，致力於證明日本不同於其他國家的獨特民主政治，具備功能性的普世價值。

政黨政治的「一黨獨大制」這個專有名詞，也讓原本因「自民黨一黨獨大」、

「一黨獨裁制」等批判性用語，令人產生負面印象的日本政治，搖身一變成爲民主政治的中的一種類型，甚至還可以實現優異成果的政治體制。在同一時期，許多讚賞官僚優異政策運作能力的著作出現，也「發現」政治人物不輸給官僚而展開活躍活動等所謂「政高官低」的現象。因此，綜合這些情況來看，日本型多元主義論發展成爲一家之言。

然而，這些論述雖然加深了對日本政治的看法，但是，僅是將政治人物優勢、自民黨的支配地位等權力配置相關主題列爲問題，仍然欠缺發展性。政府架構的運用是在多方面、多重架構之下才能發揮整體功能，把問題過度單純化，只能獲得極少收穫。此外，也應該追究這些情況導致對政府活動品質的影響。

綜合本書到目前爲止的論述可知，戰後日本的政府結構，就整體而言，發揮了類似於議會內閣制的功能。若僅以內閣的運作方式來看，確實可以確立官僚內閣制的慣例，也可稱其爲「官僚優勢」。不過，這是以政府、執政黨二元制爲前提，政治人物與官僚渾然一體制定政策的表象。在個別面對面的關係上，具有民主正當性的政治人物相對於官僚仍然處於優勢地位，在表面上官僚也會做面子給政治人物，因此很容易看出政治人物具有優勢地位的現象。綜合這兩種現象可知，議會多數派的意向，發揮了決定政治基本路線的議會內閣制功能。

不過，這也使得政黨凝聚力變弱，政治難以匯集選民意向、發揮抽象地制定政策的功能。針對這一點，可以透過省廳代表制這條彎路，利用官僚制的組織原理匯集社會利益，以取代政黨的民意匯集功能。

另外，因缺乏透過選舉造成政黨輪替的改革契機，就必須想方設法設置自我努力改革的機制。首先，官僚制透過審議會的機制，利用專家或具社會威信的權威者，找出政策調整方向。其次，自民黨則以派閥鬥爭所產生的總裁，也就是首相的輪替達到類似政黨輪替的作用，向選民展現其自我淨化的作用。再加上五五體制之下，朝野政黨在國會討價還價過程中，自民黨會經常提供在野黨一定比例的政策配額。這就意味著，在非政黨輪替的情況下，在野黨的政策主張也有可能獲得實現。

如上所述，戰後日本政治雖有一部分看似奇特，但是，卻具備了足以和其他議會內閣制國家匹敵的效果，整體來說，獲得「做得很好」的肯定評價，也是理所當然。無論日本的政治有多奇特，光批評這一點並沒有意義。然而，在特定環境下可發揮理想作用的架構，在其他環境也可能出現功能失調的現象。

一九九〇年代之後，日本政治功能失調情況明顯，但是，要將過往的「成功體系」，轉移成其他體系並不容易。因爲，即使經過各種改革與努力，仍無法顯現效果。

首先，日本國內對於造成功能不全問題的原因難以達成共識，而且在最盛時期的一九八〇年代，戰後日本的政治體制早已失去存在理由，卻因動力全開而擴大傷害。

問題不在於因為特定部分的缺陷導致功能失調，而是因為政治體系本身存在問題。換句話說，真正的問題在於民主政治運作方式、政治人物活動方向等部分，而不是民主政治的缺乏或政治人物能力不足。

缺乏「權力核心」

戰後日本政治結構的問題在哪裡？整體來說大致可以分成三個問題。

第一為缺乏決定政治方向的「權力核心」。官僚內閣制中，透過各省、各局、各課的業務分擔，以堆積木式的決策方式制定政策。當然也可採取「綜合調整」，但是，此舉比較難以判斷整體方向性。加上執政黨議員並未獨立於官僚制之外，與各省廳關係密切的族議員不少，因此，執政黨議員的介入會加強割據性。就此意義來說，不僅制度上的權力與實質權力分離，實質權力所在不明，權力廣泛擴散於政府內部，使得對政府活動的主動控制更加困難。

即使狀況如此，也會出現若遇到只要向上堆積部分適合的決定，就能達到理想結果的情況。例如，經濟高度成長期對新政策的需求較高，對於政策方向也會達成一定共識，一旦投入政策的資源持續增加，日本式的類似議會內閣制，就發揮了極佳作用。

不過，一旦面對既有政策的廢除，或者是方針切換、跨領域對策的必要性、交易不可避免的政策選擇等問題之際，日本政治的功能不全情況就變得更爲顯而易見。改革一詞隨處可聞，但是，沒有人能夠有條理地彙整出對症下藥的處方箋以進行改革。各行政部門也提出了許多具有改革色彩的政策，但是，未整理好目的和手段之間的關係，只是小步前進的改革，大都無法提升成效。因此，只能引頸企盼強勢領導的出現，惟因問題在於政府結構本身，單靠政治人物一己之力，也是無濟於事。

總而言之，若沒有可以統籌政策、明確引導社會的方向，並能在權衡政策中做出決定的權力核心，不可能達到大幅度的改革目的。社會所追求的，便是這個權力核心。

但是，光只是具備了強力的權力核心，仍無法達到改革目的。除了權力核心可能出現失控的危險之外，權力核心若不具備民意基礎，在成熟的民主政治環境中便無法發揮有效的權力。

缺乏民主統制與一貫性

因此，第二個問題便是強化權力核心的民主統制課題。其中最重要的，便是透過選舉選擇政權的問題。雖然不應該因爲缺少政黨輪替，就認定民主政治沒有發揮作用，但是，這也是有先決條件，那就是選民隨時都必須面臨選擇政權。例如，在衆議院總選舉中，在野第一大黨提名人數未達過半議席次的候選人，就意味著只要在野黨沒有準備聯合執政的構想，以及可支持此構想的選舉合作，選民便失去了選擇政權的機會。

然而，隨著自民黨的長期執政，可以透過選舉達到政黨輪替的各種條件逐漸消失。而且在此前提下，自民黨總裁任期短也造成了首相任期不長，更因爲自民黨派閥合縱連橫選舉黨總裁的戲碼一再上演，導致與總選舉無關的日本首相接二連三地換人。因此，即使在中選區制度下，選民得以選擇衆議院議員，卻無法選擇首相或執政黨。

因此而成立的政權，雖然可以透過民調的內閣支持度確認政權是否受歡迎，但是，卻失去了明確受選民付託的機會。在總選舉中，自民黨獲得席次的增減，確實是了解選民動向的重要機會。只是這樣的政權便不是選民透過總選舉所「選出」，選民在總選舉中與政權的關聯，頂多只是對被給予的政權表達意見罷了。

為了彌補政黨輪替之不足，日本政治運作所實施的省廳代表制、對在野黨的綏靖態度、執政黨內持續且公然的政策對立等，都是選擇政權選舉目標無法實現的原因。自民黨每到選舉時刻，總是會強調「政策的延續性」、「在野黨毫無政績」，但是，如果照其字面上的意義來看，代表政黨輪替本身根本不應該發生。一旦社會接受這樣的想法，政治競爭就難以說是公平的。

這些未經明確民意託付而成立的政權，通常會在成立後設置審議會等機構，花時間探討政策課題。由此可知，選民對於政府執行政策的權力來自選民授權（Mandate）的觀念淡薄。

因此，與此相關連的第三個問題就浮上檯面，那就是難以確保政策一貫性的問題。由於政府內部各單位會針對政策問題進一步探討，並各自調整政策，因此，政府整體的政策目標往往變得不明確。有時即使政府透過「工整的文章」提出政策方針，但是要用什麼方式讓各種政策問題適用於實際規範等政治順序卻不明確。此外，多數情況下，政策經過調整後，往往失去了原來的目的或熱情。

在這種狀況下，即使想要推動「改革」，只要其規模越大、相關的領域越多、改革所需時間越長，最後往往會遺忘原本是為了什麼而改革。只聽到呼籲改革的聲音震天價響，卻未見具體作為的情況不斷重複發生，甚至會出現「若想阻止改革，不如宣布改革，再拖延執行時間最具效果」的矛盾狀況。

2 議會內閣制如何運作

期待的政權選擇選舉

那麼，該怎麼做才能解決這些問題，改善政治體系功能不全問題，並朝新的階段前進呢？包含政治制度在內的政治體系，並不能像在一張白紙上一樣自由發揮想像力，而是期待在現有的政治文化及政治意識受到限制的前提下，找出有效的切換點，並依據切換點不斷地進行制度改革。

戰後日本政治並未活用議會內閣制的特質，而是自行變換型態後運作。但是，實際上應該可以活用議會內閣制原本的功能。例如，與強調權力分立的總統制相比較，議會內閣制屬於一元代表制，其權力核心明確，民主統制的路徑也相當清楚。正因爲缺乏了這些因素，才必須實行可以發揮議會內閣制特性的改革。

此時最具關鍵性的是，在衆議院總選舉中政權選擇選舉的實現，以及內閣總理大臣（首相）職權的強化。在衆議院總選舉中，如果選民同時可以選擇執政黨或聯合執政黨、首相候選人，以及競選政見承諾等三個項目，就能大幅推動改革。因此，期待的是以民主制度的基本、亦即選舉制度的改革爲出發點，再以堆積木的方式陸續推動政黨、內閣運作、國會、政官關係，以及政策決策過程的合理化等改革。

首先，在選舉中，必須讓選民得以選擇政黨或政黨架構。誠如前述，透過一九九四年的選舉制度改革，眾議院議席中有六成改採小選區制，每個選區僅有一人當選，可促進在野勢力的合作、整合，在實現政權選擇選舉的目標上具有極大意義。

其次，要落實政黨或政黨聯盟被選擇的選舉制度，就必須明示出政權選舉與政黨之間具有連動關係。這會讓追求執政的政黨先行提出首相候選人，無論是要單獨執政或聯合執政，都能讓首相候選人成爲代表性的存在，進而展現未來政權的樣貌。

此外，還必須要在眾議院總選舉時，將政權方針揭豬爲競選政見承諾，並提出政權所要遂行的政策承諾。爲了不讓政權選擇成爲毫無內容的空白委任，選民與政黨之間有必要締結契約。爲此，必須考量民意走向，與包括基層黨員及支持者在內，針對政黨方針展開討論，這種匯集民意過程是不可或缺的。總而言之，把個別的具體利益媒介需求，抽象地轉化成爲政策體系的政黨本質將會受到考驗。

如此一來，如果能夠由政黨作爲主體，在眾議院總選舉前反覆琢磨、提出競選政見承諾，選民就能在總選舉中一併選擇政黨、首相候選人、政策等三個選項，奠定具有權力核心的民主統制基礎。

首相地位的提升

在衆議院總選舉中，一併選擇前述三大選項，可以同時提升在總選舉獲得選民付託的首相地位。另外，在選舉中，當政黨支持度或政權支持度的影響力高過候選人個人魅力時，就能提升政黨的凝聚力（向心力），並提升黨幹部在人事、政策上的領導能力，通常這也會導致首相實質權力增強。

這麼一來，就必須加強原本「空心」的內閣與首相輔佐機關。只要將官僚內閣制改採爲原本的議會內閣制，首相與國務大臣的關係也會從同輩的平行關係轉變爲上下隸屬關係。若無法充實協助首相的輔佐機關，就無法下達政策指示，也無法處理必須調整的案件。因此，如何加強內閣官房將是一大課題。其次，由於國務大臣必須各自做出政策判斷，當然也需要輔佐機關。當內閣層級的協調需求增加，就需要可協助的輔佐機制，因此也必須在各省內部設置負責爲國務大臣協調的組織。

當首相主導的內閣制開始發揮作用後，就必須重新審視與執政黨的關係，也會出現內閣與執政黨一元化的問題。此時，只要首相的權力獲得強化，執政黨不再是中心，而是由政府扮演中心並負責連結二者的角色。當有力的執政黨政治人物在內閣占有樞要地位，執政黨就具備政權黨的實質條件。執政黨的政策審議組織，也有成爲各個國務大臣利用副大臣等下屬進行聯絡、協調的舞台之必要。經過這些改革，執政黨幹部便會位居政府高層之列，並透過內閣連結行政機關與執政黨議員。

參議院的課題

當內閣具備了議會內閣制原有的向心力後，國會的運作也必須有所變化。在眾議院總選舉中，為了爭奪執政而展開激烈競爭的執政黨與反對黨，在國會審議階段也有極強的對決色彩。最後，議會則轉變為競技場型議會，執政黨為了讓政權提出法案通過，必須仰賴國會的多數決，過往五五體制的朝野政黨協商變得難以執行。因在野黨阻擋而使法案延後通過，將讓政黨輪替的可能性越來越高的現象難以出現。

又，眾議院總選舉變成政權爭奪戰，即意味著議會內閣制成為所謂的「眾議院內閣制」。因此，在憲法上具有強大權限的參議院，與眾議院的關係就成為問題。如果參議院積極承認民主政治的原則，為避免侵犯政權成立的基礎，參議院只能自我克制。

有些主張認為，內閣應該將政權基礎置於參、眾兩院。但是，這麼一來，民意就以兩種形式呈現出來，政權的性格就會變得曖昧不明。其他也有透過參眾兩院的妥協、解決雙方對立的方法，但是，此舉可能會出現否定競選政見承諾的效果。從重視選民直接支持的現今政治風氣來看，這兩點都難以獲得接受。假如參議院提出強烈的自我主張，例如，否決郵政民營化法案等，採取類似否定政權基礎的行動，從政治過程的合理化角度來看，只會衍生出參議院無用論。

從各國經驗來看，議會內閣制與兩院制之間具有一定的緊張關係，這個問題也是日本國憲法的一項弱點，下一章會針對這一點加以論述。

一旦議會內閣制確定成爲內閣應有的樣態，官僚也理所當然地變成不是政府的主體。只要政策的責任已明確轉到大臣等進入政府的執政黨政治人物身上，按照原本的法律制度，官僚就是扮演輔佐大臣的角色。相反地，此舉也會讓大臣的權責相符。當然，無法承受這些職責的政治人物，也就無法任大臣職位。不過，從職務遂行的觀點來看，頻繁更換大臣並非好事，一年左右就更換大臣的內閣改造慣例，有必要加以修改。另一方面，官僚活用其政策的專業知識，發揮輔佐大臣施政的角色功能，同時在政策執行上，要排除政治力介入、負起致力於更有效率的政策執行之職責。如同從過去到現在一樣，官僚代替政治人物展開事前的政治疏通或協調，而政治人物也介入政策執行，這種政官融合一體的情況，也有必要予以改正。

由此可見，必須推動的改革相當多樣，但是，無法僅靠一個改革就達到目的。改革需要耗費時間，依據現狀彈性修改也是必要的。實際上，日本政治自一九八九年以來，就處於這種體系轉換期間。在過渡期間，改革成果尚未出現，乍看之下只有一片混亂，形同改革反而造成情況惡化。但是，在小泉政權成立之後，逐漸可看到改革的成果，這段過程也會於下一節予以回顧。

3 政治、行政改革衍生近年的結構變化

瑞克魯特事件後的路程

政治改革一詞雖然也是一般名詞，但是，如果以現代日本政治的文脈來看，則是指一九八九年開始、以眾議院選舉制度改革爲核心的政治運動。一九八八年，當時的竹下登內閣制定了懸而未決的消費稅法案的同時，爆發了「瑞克魯特事件」，即成爲選舉制度改革的契機。這個事件讓包括閣員在內的許多政治人物受到批評，有不少人因貪污而被捕，並導致內閣支持度異常低落。在一九八九年春季開始實施消費稅制度後，竹下內閣就被迫辭職。雖然透過竹下首相卓越的協調手法，獲得政界等菁英階級的支持下，成功導入了消費稅制度。但是，新稅制的實施，卻也讓選民有一種被拋棄的感覺，更因爲瑞克魯特事件的爆發，因而讓竹下內閣遭受到強烈的批評。

辭卸首相職位後的竹下登，以自民黨總裁的身分要求進行政治改革，以委員長後藤田正晴爲中心的自民黨政治改革委員會，即彙整出《自民黨政治改革大綱》。其改革方案繁多，內容遍及許多領域，包括選舉制度改革、政治獻金改革，甚至是國會改革、黨內改革等。

此時，首先出現問題的就是選舉制度改革。就像瑞克魯特事件的收受賄賂嫌疑成爲改革開端一樣，政治與金錢的問題一般都會成爲政治改革的焦點。然而，出現了劃時代性的問題意識，認爲要解決政治與金錢的問題，僅靠政治獻金規範等直接手段並沒有用，必須改變政治的樣態。因此，中選區制這種選擇「人」的選舉即成爲衆矢之的。

在中選區制選舉方面，選民的重點爲選擇候選人，而非政權或政黨，被視爲是問題所在。因此，難以和同黨其他候選人有所區隔的候選人，就極有可能對選民展開「服務競爭」。即使不算入直接買票等例外情況，舉凡會議費用、明信片等宣傳介紹文件的郵寄費用、後援會的旅行費、婚喪喜慶費用等，候選人支付的經費也不在少數。再加上爲了達到極其貼心的選民服務，秘書的人事費用也是極爲龐大。爲了籌措這些資金需求，有必要透過派閥等管道，分配資金給當選次數較少的議員，較有力的議員也必須費力地籌措資金。最後，就會有來源不良的資金流入政界。

如果是以前，政治與金錢的問題，大都是那些距離政治中樞較遠、堅持自己主張的政治人物所揭櫫的問題。但是，很新奇的是，當時卻是由自民黨最大派閥竹下派爲中心的黨政中樞提出這個問題。

只是，要變更政治人物權力基礎的選舉制度，許多國會議員是打從心裡反對，改革並不容易實現。一九九一年，海部俊樹首相向國會提出了選舉制度改革法案，惟因國會對策不佳，法案並未通過，海部首相也因此被迫辭職。不過，選舉制度改革才是最根本的政治改革等想法廣為擴散，連黨內實力派人物金丸信、小澤一郎等人，也加入推動改革行列，加上部分年輕的國會議員也燃燒熱情持續努力，尋求選舉制度改革的行動持續推進。

在竹下派分裂、自民黨內情勢發生變動之際，朝野政黨在一九九三年提出了選舉制度改革案。這個問題成為讓日本政治兩極化的巨大爭議點，更因彼此的對立無法消除，終究導致了自民黨的分裂。宮澤喜一郎首相解散眾議院進行改選，惟因無法獲得過半席次而被迫辭職。一九九三年八月，戰後以來的首次非自民黨聯合政權細川護熙內閣宣告成立。

許多政治改革論者預測，選舉制度改革後不出一段時間，自民黨就可能喪失執政，不料自民黨卻在選舉制度改革之前就失去政權，出現政黨輪替，並結束五五體制。不過，一般選民在驚訝之餘，也出現了過往未曾見過對政府的狂熱支持度。

細川內閣所制定的選舉制度改革法案，遭到部分參議院執政黨議員的反對。法案在參議院遭到否決，看似遭遇到挫折後，在朝野政黨相互讓步之下，還是在一九九四年一月通過了妥協方案。法案將眾議院選舉制度改為以小選區制加上比例代表選區的形式，也就是所謂的小選區比例代表並立制。在這個制度之下，當時眾議院總共五百議席之中，有三百議席出自小選區，兩百議席出自比例代表制選區，雖非完全的小選區制，但是，具有較強的小選區制色彩。

選舉制度改革的效果

導入這種選舉制度，具有極大的外溢效果。早在選舉制度導入以前，就曾因爲政治人物更換所屬政黨而引發政權輪替，但是，在新制度導入以後更頻繁產生所謂「政界重組」的現象，也就是新政黨的創立或政黨聯盟關係變更等，大幅改變了日本政治的樣貌。而且，爲了在小選舉區對抗自民黨，在野黨推動在野勢力的整合行動也強力地在進行，可說是小選區制造成的直接效果。

在細川內閣下台後，繼任的少數執政黨、羽田孜內閣也在極短的時間內垮台，自民黨、社會黨與先驅新黨組成的村山富市聯合內閣成立，與其對抗的是，以羽田內閣時期的執政黨爲核心、與其他政黨共同成立的新進黨。接著，在橋本內閣成立後的一九九六年十月舉行的衆議院總選舉中，雖然有選舉前才組成的（舊）民主黨問題存在，依然形成由橋本龍太郎首相爲首的自民黨，和小澤一郎所率領的新進黨等兩大政黨對立的主軸，呈現出形式上政權選擇選舉的樣貌。

但是，新進黨在輸掉這次選舉後，由於無法維持黨內的一致性，因而於一九九七年十二月宣布解散。從可構成政黨輪替的選舉制度觀點來看，頻繁的政界重組，會讓選民的支持結構出現流動化，也會引起在選舉中難以維持其政權選項的矛盾現象。

不過，小選區制的影響極大，新進黨解散後產生的各個政黨中，有許多與民主黨合併，並於一九九八年春天成立了（新）民主黨。甫成立的民主黨於一九九八年七月的參議院選舉中大有斬獲，增加許多席次，自民黨則在此次選舉中失去過半席次優勢，橋本首相被迫辭職下台。

接任的小淵惠三首相，透過「全盤接收」在野黨提案來爭取時間後，尋求與自由黨、公明黨組成聯盟，以確保多數席次。諷刺的是，在並未執行選舉制度改革的參議院中，也出現了小選區制造成的兩極化效果。

之後，爲了與自民黨抗衡，在野黨勢力尋求集中於在野第一大黨的動作持續在進行。曾經蜿蜒曲折地參與小淵自民黨與自由黨聯合內閣、由小澤率領的自由黨，於二〇〇三年秋季眾議院總選舉前與民主黨合併，提升大黨在總席次中所占的比例。

首相候選人與競選政見承諾

選舉制度改革後實施的第二次衆議院總選舉，在森喜朗內閣任期內的二〇〇〇年六月舉行。此時自民黨已經和公明黨、保守黨組成聯合內閣，對自民黨來說，即使席次稍微減少，也可維持執政狀態。值得注意的是，自民黨和公明黨在選舉前宣布維持聯合政權，而首相候選人則由森首相擔任。此即意味著過往因應選舉結果才組成聯盟，尋求菁英間妥協的政治型態不再，取而代之的是選舉前就宣告聯合架構，讓選民的選項更加明確的政治型態開始落實扎根。

然而，森內閣的低人氣使接下來的參議院選舉敗選，到後來面對衆議院總選舉時，自民黨內部充滿不安，認爲可能喪失執政權。極低的內閣支持率不斷破壞自民黨的執政基礎，而受不了此情況的森首相，便於二〇〇一年三月宣布辭職。接著在自民黨總裁選舉中，原本選前不被看好的小泉純一郎候選人卻一舉獲得一般黨員，甚至是黨外選民的期待，當選自民黨總裁並且於四月二十六日首度組閣。結果，因爲小選區制的實施，對於開始意識到自行選擇政權的選民而言，便難以認可由自民黨內部有力人士協調產生的森首相之正當性。也因爲此一情況的反射效果，讓原本除了一般黨員以外，毫無支持基礎的小泉人氣高漲。小泉首相的誕生，不難看出小選區制的影響力。

在極高支持率之下組織內閣、並得以維持政權的小泉首相，因黨內支持基礎薄弱，擔憂在二〇〇三年自民黨總裁選舉時能否連任成功獲勝，因而排定在總裁選舉後立即解散衆議院改選，以期創造出有推戴受一般選民歡迎的首相之必要性而贏得連任。在二〇〇三年十一月的衆議院總選舉中，受到民主黨與自由黨合併效果的影響，小泉聯合政權的內閣支持率雖高，席次卻反而減少，讓決定選舉勝敗的標準轉移至聯合政黨總席次是否過半數，雖然民主黨席次大躍進，小泉首相仍然能夠持續執政。

此時受到矚目的是「競選政見承諾風潮」。在地方政治引起注意後，民主黨主席菅直人便活用此一氣勢，將競選政見承諾帶入國政選舉，除了作爲民主黨的招牌，更藉此批評過往競選政見承諾的曖昧不明。競選政見承諾運動強調政黨、政權層級的承諾，對於努力匯集黨內意志的小泉首相來說也具有利用價值。自民黨的競選政見承諾以「小泉改革宣言」的形式公布，加上公明黨的「競選政見承諾」，讓主要政黨間展開了競選政見承諾競爭。可見小選區制實行後，政權的選擇與政策互相結合，讓政權選擇選舉有了更進一步的發展。

下一次的二〇〇五年九月衆議院總選舉，源自於參議院否決了郵政民營化相關法案，導致衆議院被解散的異常情況。小泉首相所率領的自民黨透過推舉與造反派議員對立的候選人使自民黨獲得優勢，執政兩黨獲得了衆議院三分之二以上的席次，自民黨本身也獲得將近三百個席次，爲自民黨與公明黨執政聯盟帶來了近年來難得一見的空前勝利。相反地，民主黨席次大幅減少，也因此產生了兩大政黨制已經消失的看法。不過，兩大政黨的議席占比僅微幅增加，民主黨的絕對得票率也沒有變動。因情勢使然，選民選擇理想政權架構的行動偶然造成了執政黨的大勝。從這角度來看，雖然衆議院解散前的過程，並不具有議會內閣制特性，但是，這場衆議院總選舉本身，可以說是小選區制在政權選擇選舉上充分發揮威力的結果。

雖然並未透過選舉實現執政黨輪替的結果，但是衆議院總選舉具備的政權選擇功能也逐漸扎根。此外，關於政治與金錢的問題也因爲《政治資金規正法》加強了規範，搭配「政黨助成制度」的設立、選區縮小等現象，花費在政治的資金絕對額持續減少。從遭舉發的貪污事件規模變小等現象來看，可以說是改革發揮了效果

首相地位的強化

雖然政治改革最大的原動力是選舉制度改革，但是，不能僅止於此。例如，強化身爲連結點的首相地位的改革也是必要的。正面處理此問題的是橋本內閣。橋本內閣推動以強化內閣功能與省廳重組爲主的行政改革，由首相親自出席、制定行政改革具體方案的行政改革會議，從一九九七到一九九八年的短期間之內，提出戰後

以來，長期未能著手處理的中央省廳根本改革案，並且於二〇〇一年一月實現。

確認首相對內閣的主導性、提升內閣官房的作用、設立內閣府等強化內閣整體功能的行動，雖然是以對官僚內閣制度的理解爲前提所提出的措施，但是，卻成爲日後首相發揮領導能力時提供了重要基礎。此外，因省廳重組，省廳間的協調變得更爲簡單，打破了即使是首相也無法插手省廳組成的固定觀念。此舉在內閣主導的行政體制建立上，具有重要意義。

接著，小淵內閣導入了副大臣、政務官制度，從制度面擴大政治人物的責任範圍，也有助於明確權力核心的形成。此外，廢除政府委員制度以改變國會審議的樣態，更具有將改革延伸至國會，以及省廳內部改革的意義。

之後，小泉首相則透過打破過往慣例的積極行動，一舉成立了由首相所主導的內閣體制。首先，首相在組閣之際並不接受各派閥推薦閣員的舊例，而是以首相的權力推動組閣，提升閣員對首相的向心力。接著，在任命大臣時，更親手交付載明首相具體指示的文件，以確保政策上的一致性。此外，也改善了因頻繁改造內閣導致大臣任期極短的問題，並採取主要閣僚留任、平調其他省廳等多種方式，確保內閣的延續性與一致性。到了小泉政權後期，除了建立自民黨內對副大臣、政務官人事的相關協調機制，更在任命之際，事先確認大臣的意向，以加強內閣執政團隊的整體性。

不僅如此，小泉內閣更重用經濟財政諮詢會議，閣僚在首相面前討論重要政策問題，最後再由首相做出決定，以期活性化內閣會議的實質作用。由此創造出各種改革課題，必須經過首相確認、調整的機制。在經濟財政諮詢會議上，建立起省廳之外的輸入途徑，讓閣僚以外的財界人士或經濟學者等「民間議員」也能在此會議上展現長才，意味著不經過事前調整的意見交流、交涉得以實現，也能發現可以扮演首相分身處理相關政策。總之，經濟財政諮詢會議的發展，也是在首相主導內閣運作的這個大框架中所出現的重要事件。

政官關係的變化

在首相主導強化內閣運作的背景中，也包括了政官關係的變化。一九九三年細川內閣的成立，對於長期以自民黨政權為前提展開行動的官僚制造成了極大的衝擊。尤其在恢復執政後，自民黨政治人物對於曾協助非自民黨政權的官僚產生敵意，過去自民黨與官僚制之間的緊密關係已遭到破壞。特別是自民黨政治人物對於大藏省官僚的複雜情感，衍生出「憎恨大藏」的情緒，雙方關係自政黨權力核心開始出現不穩定現象。

加上經濟泡沫化之後，省廳對經濟運作的處理不當，以及一九九〇年代中期陸續出現的官僚醜聞，讓官僚原本具備的威信大幅降低。橋本行政改革也是以此現象爲背景，發揮其政治領導力。相關規範鬆綁與縮小官僚權限的持續推動，讓民間企業等團體與官僚制的關係也逐漸產生變化。雖然在程度上因業界或領域有極大差異，但是，民間部門陸續自立於政府之外，呈現出不服官僚控制的傾向。因此，官僚越來越難以省廳代表制，也就是特定領域代表人的身分行動。

因爲上述情況，政治人物發現強調自己與官僚的緊密關係已無好處，透過行政改革等方式嚴厲對待官僚，在政治上反而更加有利，便衍生出改革要由族議員等政治人物主導，或是由首相爲首的內閣主導等問題。而小泉首相戰勝了自民黨內部的「抵抗勢力」，意味著這個問題必須在內閣主導之下解決，也對官僚制造成極大影響。

總而言之，以首相之手決定政策，視狀況還能擬訂政策方案，就具有極大意義。實質的權力也從負責省廳各單位的官僚身上，轉移至可在此時發揮輔佐能力的官僚上。換句話說，內閣官房或內閣府特定單位的官僚權勢逐漸提升，甚至應稱之爲「內閣官僚」。官僚與首相間的距離，也成爲其決定「工作價值」的重要因素。從這一點來看，官僚內閣制的原理已經逐漸消失。

此外，二〇〇〇年透過「地方分權包裹法」實現地方自治體的獨立，也開始大幅限制中央省廳官僚的實質權力。雖然過往中央省廳官僚將地方自治體視爲下屬、自由運用的特色並未徹底消失，但是，當地方的選擇機會增強，中央省廳官僚也不得不改變其姿態。而且一部分地方自治體也積極推動行政改革，職員的能力開發開始進展。這樣一來，中央省廳官僚反而還得和地方自治體職員展開競爭。地方自治體職員還負責第一線的政策執行業務，透過現場情況更徹底了解政策的實際內容，僅靠紙上談兵的中央省廳官僚是無法與之抗衡的。

由此可見，官僚逐漸難以維持自行解決事務的官僚內閣制運作方式，在確立首相主導機制的同時，一般的議會內閣制運作也在小泉內閣之下有了大幅進展。

開始瓦解的政府、執政黨二元制

政府、執政黨二元制也開始出現變化。聯合內閣的普遍化，讓原本的執政黨內協調改爲執政黨間的協調，協調變得更加複雜，也一時強化了政府、執政黨二元制。加上執政黨間的協調方式確立後，官僚制的協調也更加細緻，隨著時間拉長，政府、執政黨二元制反而出現了深化的傾向。

但是，由於小泉內閣的成立，讓小泉首相與「抵抗勢力」之間的對立受到矚目，政府、執政黨二元制的問題也變得鮮明而更容易理解。執政黨高喊著「採取議會內閣制，就該聽執政黨的想法」，反而出現對小泉流的「總統制手法」不滿反彈的舉動。當然，這只是誤解。若執政黨和內閣之間毫無關聯，則屬於總統制的運作方式，但是，在議會內閣制之下，協調時必須注意雙方大方向的一致性，無法協調的對立成爲政府與執政黨之間的問題。不過，政府與執政黨持續對立，情勢就對小泉首相更有利。執政黨內部也出現積極協助小泉首相的行動，與小泉首相對立的「抵抗勢力」，逐漸縮小爲自民黨內的一小部分。

這個對立的整體情勢，從二〇〇五年初夏到夏天間，因郵政民營化法案在國會的審議而迎來最高潮。法案在八月八日受到參議院的否決後，小泉首相便解散衆議院，不提名衆議院的造反議員爲黨籍候選人，並在這些議員的選區另推出與其對立的黨籍候選人。在此情況下，自民黨於九月十一日的總選舉中大獲全勝，也明顯提升了自民黨的政黨規範。自這一年秋季的臨時國會之後，原本預設可能遭受反對的案件，在自民黨內的異議聲音成爲奇珍異聞，就是因爲各項改革接二連三地陸續實現所致。

當然，這種情況可以質疑爲衆人被迫無奈的沉默、無法成功達到普遍共識所致。但是，無論如何，仍大幅改善了政府、執政黨二元制的問題。早在二〇〇六年的經濟財政諮詢會議召開之前，自民黨政調會就率先開始制定歲出歲入一體改革案，也顯示了這段期間整體化的進展。

簡言之，在政治改革或行政改革方面，一九九〇年代努力不懈準備的改革，在小泉內閣之下一氣呵成地展現成效，不僅官僚內閣制、省廳代表制、政府、執政黨二元制等因素有所變化，就連可構成政權輪替的民主制度條件，也就是政權選擇選舉，扣除實際政黨輪替的要素後都邁向實現的方向前進。

4 尚未解決的改革課題

什麼是持續的改革

由於小泉改革，讓日本的議會內閣制進入新的階段。但是，如果想要順利運作，改革仍得持續進行。小泉內閣的政治運作，尤其是二〇〇五年的衆議院總選舉，仍處在政治改革的「折返點」上，因狀況的改變，隨時有可能倒退回一九八〇年代的狀況。舉例來說，在自民黨大獲全勝之下，也設置了避免選舉制度因勝選而改回中選區制的機制，防止動搖下一次選舉。

不過，選民希望自行選擇政權的要求高漲，卻不容忽視。若推動改回中選區的選舉制度改革，有可能招致強烈反彈。此外，若改回過往權力核心不明確的政治型態，政府將被困在持續艱困的政策環境，以及在無法避免的痛苦改革中，將導致政府動彈不得。

到目前爲止，眾議院總選舉中，首相候選人或黨魁的形象開始具有極大影響力，政黨支持率的高低也具有重要意義。在選舉時，以執政爲目標的大黨皆會發表競選政見承諾，並透過競選政見承諾的發送，讓選民更輕易了解政策的概要。眾議院總選舉中，有了執政黨或執政黨聯盟等組合，以及首相候選人、基本政策等三個項目，就滿足了政權選擇選舉的要件。

然而競選政見承諾不只是在選舉時才重要。若只是選舉時的承諾，過去也已經存在。重要的是準備好競選政見承諾，並且在勝選後要予以實現的過程。

就這意義來說，眾議院總選舉產生的眾議院議員任期，與自民黨總裁選舉規定的首相實質任期並不同，是相當嚴重的問題。首相若不透過總選舉輪替，則政權選擇的意義就少了大半。即使兩者並未完全一致，也必須意識到這一點。而且實際上，在執政期間若無重大意外，首相所屬政黨有避免讓首相換人的運用方針會比較好。

競選政見承諾的問題

未經黨內充分討論，就制定眾議院選舉時的競選政見承諾也是一大問題。在郵政解散後的衆議院總選舉中，因爲自民黨還是大獲全勝，也有主張認爲，首相不與任何人討論、獨斷地決定政策，就是一種首相主導。但是，這並不正確。執政黨必須積極聽取各種意見及利害關係，才能制定政策。選民也應向政黨提出自己的意見，以期對政策產生影響。

但是，過度強調尊重議員們的多種意見也不是好事。例如，反對競選政見承諾的觀點就認爲，因爲黨內意見過多，在選舉前無法制定方向。不過，當法案準備好了、也彙整了對法案的意見，並課以黨紀約束，乃是日本的政黨慣例。若是如此，政黨應該可以在選舉前預先達成對法案概要的共識，而首相的決定則應置於民意彙整的最高點。

此外，根據法案概要決定的方法，乃是確保決策的綜合性與一貫性所必要的，競選政見承諾反而必須促進這類政策的形成。

對自民黨與民主黨等大黨而言，整備展開這種討論的機制，乃是當務之急。在其他國家，黨大會被視爲政策討論的場合而備受重視，但是，自民黨、民主黨這兩大政黨卻讓黨大會成爲短暫且奢華的活動，看不到連續幾天認眞商議政策的情景。如果競選政見承諾的重要性提升，就應該設置可以更爲認眞討論的機制。

此外，當預定組成聯合政權時，期待執政聯盟政黨之間能夠事先商討競選政見承諾內容。考量到比例代表選舉的舉行，組成執政聯盟的政黨並不需要提出相同的競選政見承諾。不過，實際上，例如像自民黨和公明黨一樣，實施緊密選舉合作的場合，就有必要在選舉前協調出適合選舉合作的政策。

當執政黨自衆議院總選舉中產生，而且必須實現競選政見承諾時，競選政見承諾的法律定位就相當重要。例如，要實現競選政見承諾、將其付諸內閣會議決定等，亦即必須將政治性的競選政見承諾落實在行政文書作業上。轉變爲行政文書後的競選政見承諾，就成爲行政部門的重要課題，也會成爲政府運作的方針。衆議院總選舉中對於政策的選擇，因爲其本身就是權力基礎，對政治人物而言，競選政見承諾即成爲統制官僚的武器。

競選政見承諾應受到評價的時期遲早會到來。雖然經常遭到誤解，但是，競選政見承諾的實現程度，並非僅由第三者客觀給予評價即可。因爲這些評價最後也只能成爲最終評價的參考，而下達最終評價是選民。作爲參考意見，當事者執政黨的自我評價固然重要，其他競爭政黨給予的評價雖然帶有政治意味，但是，在製作評價基準時仍具有重要意義。

接著，下一次衆議院總選舉的到來，就是選民對競選政見承諾給予評價的時候。執政者必須提出競選政見承諾至今的實現程度、問題改善的實際成果，以及未來的展望後再來打選戰。至於追求執政的反對黨，即批判目前政府的政策方向「不公平」，並從競選政見承諾的執行情況批評政府運作的「不適當」，再強調自己的競選政見承諾優越性來打選戰。經由雙方的互相比較，由選民選出政權或競選政見承諾。

與過往競選政見承諾的不同

競選政見承諾循環，並非一朝一夕能夠確立，必須付諸努力才能予以落實扎根。不過，當競選政見承諾漸趨重要，其內容也會受到檢視。

競選政見承諾和過往競選承諾的不同，在於明確記載「數字目標、財源、實施期限」。確實，過往競選承諾內容曖昧不明，以致無法確認其是否能夠實現，批評它是不夠資格成爲承諾的說法並沒有錯。不過，競選政見承諾重要的是，其實現途徑、評價基準都相當明確，而其判斷標準，便是競選政見承諾內列出的「數字目標、財源、實施期限」等項目。

競選政見承諾要求政策的體系化，以一定的思考方式彙整各自分散的政策，進而建立具有整合性的政策群組。若缺乏實現政策的方向性，政權運作也會變得一團糟。就算匯集了未經深思的政策，並各自訂出數字目標、財源及實施期限，也不能成爲好的競選政見承諾。

另一方面，政策中也包含與政黨對立無關的內容。政黨之間眞正對立的政策內容約僅占兩成左右。大部分的政策是由政府各部門自行處理，若有政黨發現政府部門未注意到的問題，並先行提出，且其他政黨也接受便沒問題。政黨之間、特別是執政黨與反對黨之間，並非一定要在所有的主張上對立。此外，政見承諾相當於「遊戲規則」，乃是政黨競爭的基礎，最好以超越黨派的方式處理。

然而，對於具有權衡取捨關係的政策等必須做出政治決定的領域，政黨應該積極提出政策選項。因爲選項都經過各政黨的系統化，被匯整起來的政黨意見，黨籍政治人物原則上就必須遵循。強調政治人物的信念並非是壞事，但是，政治人物並不是爲了自己，而是以選民代表的身分採取行動，必須依據選民的動向改變自己的判斷。這些緊要關頭下的決定不斷累積，進而產生有效的政策。

新政黨形象的必要性

依此脈絡思考的話，光只是召集政治人物也難以成爲政黨。因爲，政黨如果在選民之中沒有廣泛的支持群衆，就無法匯集各種利益及意見。成爲政黨支持群衆的一般選民，應該積極參與政黨活動，爲了將各種利益與意見轉化成爲政策，就必須反覆討論，琢磨對策。即使在其他國家的政黨中，能充分發揮這些功能的政黨，以及這些政黨能出現的時期也相當有限。

近年來，盛行於二十世紀西歐的僵化、具上意下達特性的組織政黨模式早已顯現出極限，也出現批評政黨功能不全的聲音。此外，也有人認爲，職業政治人物以提升政黨的民調支持率爲主要目的，有操弄政黨立場的傾向（「經理人政黨論」）。

然而，若僅將民調支持率當作政治活動的基準，政黨方針也從屬於此標準，政黨的功能便會受到限制。相反地，若不對民調提出問題，以及政策的替代方案，政治活動範圍也會逐漸縮小。以政黨具有存在感爲前提，留意民調的動向，和仰賴政黨存在感替代物的民調，兩者之間意義大相逕庭。

日本需要的是，以新的組織原則重建政黨。具體內容應由相關人士摸索，但是，必須是以某種形式建構網絡型態的寬鬆組織原則上。因爲，成爲黨員、隸屬於政黨等嚴格區別內外的僵化組織早已過時。若對於政黨的支持可再進一步，轉變成爲對政黨的認同感，就能促進政黨的組織化。支撐起美國共和黨、民主黨的是政黨認同感（「自己是什麼黨」），如此想來，對政黨的歸屬感就會在日本的新政黨組織型態中發揮重要作用。

不過，日本國民對於隸屬於特定黨派仍具有強烈抗拒。對黨派的排斥感一旦增強，就可能阻礙政黨之間的有效競爭。政治中立或者是與政黨沒有關係，對於從事公正執行業務的公務員而言是必要的，但是，一般的市民生活並不需要如此。

政治教育的必要性，雖然獲得普遍認可，但是，卻遲遲無法落實扎根，就是因爲對於黨派的排斥感過於強烈。要執行有效的政治教育，卻又不涉及黨派是不可能的。雖然對各黨派須一視同仁，但是，如果讓公平的範圍變得過於狹隘，教育機會也會變得乏善可陳。

要清除對黨派的排斥感，對於有時候會出現政黨輪替事態的期待能夠落實，將會是最有效的方式。不過，這個期待又因爲選民對黨派的排斥感而難以實現。斬斷這個惡性循環，是目前的當務之急。雖然無法得知在什麼情況下，政權得以因選舉而輪替並展開較活躍的政治運作。但是，爲了達到此一目標，相關的基礎整備著實地在進行中。

要確立議會內閣制，首先必須要政黨政治的活性化。要建立一個符合新時代的政黨型態並不容易，但是，對日本的政治結構發展來說，順著大方向持續推動改革是不可或缺的。

Chapter 7

政黨政治的侷限與意義

至今所探討確立議會內閣制的改革，是以透過政黨政治的確立，追求民主政治在日本的落實扎根爲目標，也是爲了完成日本國憲法導入民主政治的提案。不過，擁護「戰後民主主義」者也對於權力應集中於內閣總理大臣的主張有諸多批評，這是爲什麼呢？

戰後改革的課題，除了導入民主政治之外，也包括了強化公民自由的確立。因爲全面保障人民在思想、信念以及政治活動的自由，是戰後所導入的機制，而「戰後民主主義」包含了這些要素。尊重少數意見、保障少數族群的人權等問題，僅從狹義民主主義的觀點來看並不重要，但對部分族群來說，卻是至關重要的問題。

但是，現實上的民主政治，僅靠狹義的民主主義並無法存在。沒有政治上的自由，就無法舉行公平選舉，因爲這兩者之間具有內部的關聯性。一般來說，必須維持民主主義要素與自由主義要素之間的平衡，才能讓民主政治發揮正常作用。

現代民主政治採用多數決已有其侷限，它是以應該共同遵守的規範，也就是立憲主義的秩序爲前提。主張徹底的民主政治，必須顧慮到少數族群。而在政府運作上，效率及專業固然必要，但是，這兩點和民主主義的觀點之間又存在著緊張關係。從以政黨政治爲媒介的民主政治觀點來看，該如何思考這些問題呢？這又和從另一面思考爲何要確立議會內閣制有所關聯。

現代社會在全球主義及地方分權的潮流中，國家成爲了理所當然的存在，談論政治則變得越來越困難。在基本主軸動搖之中，出現許多對應身分認同危機的動作。針對這些問題，加強議會內閣制和政黨政治又具有什麼意義？本章欲透過各種問題，探討政黨政治的意義及侷限。

1 兩院制

與議會內閣制的緊張關係

首先提到的是兩院制的問題。從議會內閣制具備的一元制特性來看，必須強調內閣的基礎是在衆議院。因此，身爲第二院的參議院與內閣的關係就變得相當微妙。立法不能單靠衆議院完成，必須讓參衆兩院達成共識。不過，以衆議院爲基礎的內閣，是由衆議院內的多數派所組成，當衆議院內的政黨對立較嚴重時，這樣的情況也會被帶入參議院。值此之際，如果兩院內的多數派立場一致時，就沒有問題，但是，如果不一致，就可能產生參衆兩院意見不一的扭曲現象，有陷入立法功能不全的險境。當然，日本國憲法也意識到這個問題，賦予衆議院各項優勢，但是，這些優勢並不會強勢到足以讓參議院的反對無效。日本的兩院制中，兩院的權力是接近於對等。

反過來說，當參眾兩院的多數派意見一致時，雙方的矛盾就不會浮上檯面。實際上，戰後日本長期以來，大都係由自民黨占據了參眾兩院的多數議席，因而未讓這個問題受到關注。不過，一九八九年之後，自民黨在參議院失去多數席次的情況屢屢出現。

近年來，自民黨爲穩定政權，即使在眾議院內確保多數席次，不僅在議會運作上會與其他政黨合作（議會聯盟），更透過聯合內閣的建立，以期掌握參眾議院的多數議席。這和自民黨型的基本立法政策有關，亦即透過執政黨法案審查機制，在議會外完成實質立法作業。因爲，其中潛藏著一個不好的想法，亦即，一旦議會已經結束的立法作業再次回籠。

不過，爲維持兩院多數席次以建立聯合政權，具有政權內部容納過多勢力的弱點。最重要的是，要整合一致有解散改選的眾議院與沒有解散、但定期改選半數席次的參議院多數席次的嘗試，在本質上就與透過選舉達到政黨輪替的想法互不相容。因爲在參議院獲得多數席次的政黨，並不代表在接下來的眾議院總選舉就能獲得多數席次。

若聚焦於這一點，會發現兩院制與議會內閣制之間，存在著本質上的緊張關係。誠如第一次世界大戰前夕的英國，政府基礎置於因選舉而受到信任的第一院，其與第二院產生對立時，後者便會屈服於前者，以貫徹議會內閣制的原則。這樣的情況，發生在幾個西歐國家。有鑑於此，英國就限制了貴族院對預算審核的相關權限。此外，也確立了只要是政府基於競選政見承諾推動的法案，貴族院基本上就不能反對的慣例。就如同瑞典一樣，在一九六〇年代時，因第二院的功能不全引發問題，遂於一九七〇年代改採一院制。總而言之，爲了貫徹議會內閣制，必須限制第二院的權限，不得反對因選舉產生的第一院之方針，或者直接轉型改採爲一院制。

期待的參議院功能

參議院被稱爲衆議院的「複寫紙」，少有其發揮存在意義的場面。在二〇〇五年的郵政民營化法案攻防戰中，參議院的反對，最後卻因衆議院選舉而被推翻。如果不認眞反省這些情況，遲早會出現要求廢除參議院的聲音。

事實上，日本也有推動一院制的行動，但是，現實狀況卻相當嚴峻。日本國憲法對於兩院制的規定相當細微，若要實現一院制，就必須先行修憲。但是，要修改憲法，必須要有參衆兩院各自三分之二以上的議員同意提案，當事者參議院的贊成不可或缺。因此，若單純推動廢除參議院的改革，其實現的可能性微乎其微。因此，在提倡一院制的主張中最有力的是，推動合併參衆兩院後再修憲，以實現一院制的運動。不過，當被問起這個運動有什麼必要時，就會發現其與廢除參議院論並無太大差異。

以現狀來說，最快的捷徑便是不修憲，先改變實際的運作方式，之後再透過兩院的共識改變憲法條文。

具體而言，參議院可先改變自身的角色，以達到兩院制與議會內閣制並存。例如，與政權運作根本相關的問題，參議院就必須自我克制，不與眾議院對立，並在其他獨自的領域尋求參議院的優勢。

誠如前述，在議會內閣制確立的過程中，眾議院創造權力的作用增強，對決型的議事運作也隨之定型，就更難探究不符合朝野對立框架的問題。基本上，議會內閣制的議會爲對決型，要變更現狀時，若有某些可緩和劇烈變化的措施，或者相關補償措施，秩序就能穩定。當眾議院爲對決型議會時，參議院就須發揮非對決型議會的功能，反而有助於議會內閣制的確立。總而言之，兩院制可讓民主主義要素與自由主義要素取得平衡。

參議院可發揮的功用，包括行政監督或是決算功能等。當眾議院內的朝野政黨對立逐漸加劇，在多數派優勢的運作下，眾議院中多數派擁護政府的氛圍也會逐漸增強。因此，雖然少數族群調查權的設置也是一大問題，但是，期待參議院能夠自我限制掌控法案生死的權力，將可淡化院內朝野政黨對立的色彩，並協助發揮行政監督功能。

此外，從長遠角度來看，調查提案問題也浮上檯面。目前參議院的審議中，調查的比重偏高，相較於眾議院，參議院具有較重視調查會功能的傾向，而這種角色也是眾所期待。像是牽涉到生命倫理、是否廢除死刑制度、皇室制度等問題時，更希望能跳脫黨派對立、俾便仔細討論。

或者是遇到必須形成跨黨派共識的場合，如修憲、財政重建、重大外交或安全保障上的選擇，參議院可以發揮的潛在作用就極大。透過擱置當面做出法案是否通過的權限，如果參議院發揮獨自的功能，就能增加其在不同意義上的重要性。

從慣例到憲法修正

眾議院在黨派對立下，以對決型的議事運作，最後須通過政府提出的法案。相對地，參議院則削弱政黨對立，視情況尋求法案修正，並將重心放在行政監督、長期問題調查，以及跨黨派共識的形成上。包含了這兩個議會的兩院制，應該是由雙方自覺行動形成慣例，再逐漸累積而成，並非由法律條文強制規範所產生。

在「會期制」或「會期不繼續原則」的嚴格執行下，以眾議院多數派為基礎的內閣提出法案，經常發生無法通過的情況，以本書所探討的新議會內閣制型態來看是不太好。此外，到了會期尾聲，當法案的正確與否受到參議院審議所左右時，就會將黨派對立中較爲激烈的部分帶入參議院。誠如前述，爲轉換參議院的作用，必須先改變這個問題。可以透過會期制的鬆綁，或形成讓參議院先行審議多數法案，再另行處理要修正的內容，基本上尊重內閣意願的慣例。如果兩院的意見依然相左，可召開兩院協議會，讓其發揮效用，以尋求妥協方案。

由此一來，如果參議院能夠自我抑制權力，在思考參議院功能時，眾議院也必須尊重參議院的想法。探討修憲時，也可考量是否增加參議院自身的權能。舉例來說，若放寬修憲的動議條件，也能尊重前文曾提過的參議院共識形成功能，僅賦予參議院修憲動議權，或爲了提升司法獨立性，也可以考慮將最高法院首長或法官的人事權，由內閣轉至參議院。

此外，一旦參議院的功能有所轉變，就必須依現狀調整選舉制度。如果權力行使受到限制，也可以修改憲法，或者是摸索透過間接選舉等其他方式選出，即使在現行憲法之下，採用政黨色彩較淡薄的選舉制度會受到歡迎。

綜上所述，透過政黨政治的確立，明確掌握多數派意見，追求以首相爲中心所構成的可靠行政部門，也應該進一步構思讓參議院發揮不同的角色，以具備補強多數派民主政治的制度。

2 官僚制度的重建

政官關係的規範

迄今爲止，本書以批評「官僚內閣制」的文脈，批判官僚成爲「統治主體」；而在以確立議會內閣制的文脈中，則主張應該確立以政黨政治人物爲中心、而且由首相等閣僚構成的行政部門權力，並成爲日常統治的主體。但是，在這些情況背後，需要有具備專業知識、黨派中立的判斷、穩定的組織運作等能力，高層已經黨派化的行政部門之支持。這是官僚制度重建的課題。

政治人物與官僚的關係習慣稱作政官關係，而其規範通常包含以下三大要素。

第一爲統制的規範。對於負責任的政治人物的命令，身爲部屬的官僚是理所當然必須要服從，但是，一手掌握組織的官僚往往會出現無視於首相或內閣意向的傾向。這就是官僚內閣制的問題，而其背後的支撐力量便是省廳代表制的結構，對於兩者之間的轉換，先前已經詳細說明過。

第二爲分離的規範。承擔必然造成黨派對立的政黨政治之政治人物，與執行政策時被要求政治中立性的官僚之間，有必要制訂兩者要保持適當距離或相互獨立的規範。依照現狀的話，這個規範會與第一項統制規範相互矛盾。但是，如果各自的規範適用場合不同，這兩種規範是可以共存。那就是統制規範在直接與決策相關連的政策規劃、立案的場合是必要的，而分離規範則在政策執行的場合最爲需要。

但是，在政府、執政黨二元體制之下，族議員與中階官僚間的關係緊密地相互連結在一起。在須維持政治中立的行政領域，如公共事業發包業務、個別規範的適用等政策實施的細節上，存在著政治人物插手介入的傾向。另外，政治人物透過自己對官僚人事的影響力，要求對自己有利對待的案例隨處可見。由於對這些情況的批判日益高漲，近幾年來事態持續在改善中，但是，因爲對於官僚的不信任感根深蒂固，積極尋求重新定義官僚獨立領域的動作也較弱。不過，成爲批評對象的行政效率不彰的原因，正是因爲日本官僚制刻意混淆了政策的企劃、制定，以及執行等環節，使得官僚缺乏提升政策執行效率的動力。因此，強調政官分離的規範，並確立官僚的獨自性以追求效率化，乃是重要的課題。

自我規律的重建

第三個規範，則是合作的規範。統制與分離的規範有可能造成雙方關係緊張，相較於此，合作的規範則是在雙方了解彼此特性的不同後，要求相互合作的規範。例如，在企劃、制定政策時，擁有專業能力、僱用受到保障的官僚應該提供的能力是什麼樣的程度，都將會受到考驗。此外，政治人物應該做出決斷或指示，也必須是遵從立憲主義的框架。官僚像政治人物一樣站上政治協調的舞台上，或者是政治人物介入官僚所負責的公共事務場合，都是不正常的現象，如果要改變這些反常現象，就必須重新定義雙方的角色，並修改合作的應有樣態。

此時，必須先確立官僚制固有的角色，以及社會大衆對官僚制的認可。目前社會尊敬官僚的念頭逐漸減少，如果這只是因爲「支配型官僚」的威信下滑所致，倒還令人樂見。不過，應該確保對於身爲專家、又是代表公衆利益的官僚之尊敬。爲了獲得社會上的承認，必須重新建立官僚自身的紀律。社會越是複雜，就越需要管理的架構與知識，而這不是隨處唾手可得的事。爲了將新鮮空氣注入過於封閉的官僚制內，包括政治任用等從外部招募人才，或是各單位的人事交流固然重要，但是，這並非單靠這些就能建立優良政府那樣地簡單。過往官僚的優秀不證自明，但是，到了現代卻未必如此，因此反而可試著找出具有日本特色的新官僚樣貌。對於官僚來說，正值寒冬之際，官僚眞正的能力才會受到考驗。

3 司法的活化

司法功能

民主政治須透過其他要素補強，而司法的活化課題也是一樣。司法是透過多數決原理以外的方式解決紛爭等問題，從司法與民主政治的關係來看，其與官僚制的必要性有相似之處。

不過，以司法來說，是在法律支配這個大原則之下，以有別於專業與效率的原理運作。例如，在審判時，原告和被告面對面相互提出主張，並從中找出眞相，再透過法官這個第三者下判斷。以此原理形成的社會秩序，是政黨政治無法取代的。

但是，日本的司法權獨立具有與司法功能孤立於社會的一面，也是個只有存在法官、檢察官、律師等專家的封閉世界。因此，相較於歐美國家，日本的司法功能非常受限。

然而，有鑑於事前規範到事後管理等規範鬆綁的過程、因社會複雜化造成的紛爭擴大等情況，擴充司法功能的必要性也隨之出現。司法改革正在進行中，但是，必須先認知到，這些改革與政治改革互爲表裡。總而言之，仔細審視政府應盡的角色，雖然施加一定程度的限制，惟讓其必要功能發揮到最大程度，是政治改革、行政改革的主要目的，而司法也不例外。

當有必要加強整體司法功能時，僅以數量擴充現有的制度，並不會顯現出任何效果。司法制度改革將從未有過的要素導入司法相關制度內，是有其意義的。例如，陪審團制度便是將民主要素導入司法，除了可以制止專家的蠻橫之外，也具有增廣一般選民司法知識的效果。此外，從整體社會平衡的角度來看，透過各種形式讓司法功能變得更容易運用，也應與議會內閣制的強化一同推動。

4 國家主權的瓦解

全球化與國家

本書至今雖已探討過日本中央政府的統治結構，但是，再怎麼合理化這些內容，只要日本這個國家所具備的意義改變，上述探討也可能被批評為毫無意義。

舉例而言，透過全球化的發展，有許多事務不僅止於國際交涉，被事實上的全球標準所決定的事務也增加。這也可以說是與所有事務皆能貫徹國家意志的情況，有根本上的差異。

因此，即使確立了議會內閣制、明確化國家政事的權力核心，由於可以決定事務的範圍受限，有意見認爲這是無謂的努力。或者是因爲全球化的進展，讓國家的框架產生相對變化，所以也有一種意見認爲，國家應盡量不做決策，只要關注著市民、企業或地方政府解決問題即可。

關於這些說法，如果先從結論來說，正因如此國家政事的中心才必須要明確化。其理由包含以下兩點。

首先，決策透明化的必要性。過往國家就是一切的時代，縱使有些決策並不明確，正因爲整個體系如此，終究會塵埃落地。在此場合，就算不追究決策主體的所在，只要「一切正常運作」，就沒有問題。

但是，光只是叫喊著國際化，事務的決策方式將會面臨極大挑戰。總而言之，規則是什麼？在哪裡做決定？如果不予以明確化，國外的利害關係者將無法對應。沒有透明化的政治體系，例如，非關稅壁壘就遭到批判爲不公正的貿易慣例。加上全球化的發展，利害關係錯綜複雜狀況下，誰做決定？能決定的程度？能否做決定等狀況，如果不弄清楚就會混亂。

第二，由於國際化或全球化的發展，決策中心明確化以降低決策成本的需求增強。只要國家透過內部決策，其後僅遵從此一決策即可，在這種主權國家體制下，國家內部決策體系須耗費較高成本，也沒有什麼問題。不過，在需要調整與其他主體之間的關係時，若主體內部在決策上花費許多時間與程序，就難以有效處理相關問題。

當然，若能有其他可替代的主體便沒有問題。但是，要找到這樣的主體並不容易。在歐洲，也有許多小國因歐盟成立而將權限轉讓給歐盟，以減輕國家負擔的事例。不過，也因爲如此而造成歐盟在決策時的負擔，可見國際化或全球化，並無法自動解決問題。

考量到對外情況，國家有必要提高機動性。這正是各國領導人的個人領導能力受到關注的背後原因。冷戰期間對外選項的制約被解除，在日本必須主體性處理各種國際問題的現況下，透過議會內閣制的確立以明確化權力核心，以及加強民主的統制，就成爲優先處理順序較高的課題。

地方分權的進展

國家主權的溶解也在日本國內進行中。這種現象一般會被認爲是地方分權的形式。各地區等待解決的問題擴散，由此衍生地方政府的自立化，促進地方分權的進行。總而言之，當國家最低基準（National Minimum），也就是全國統一實施的行政服務普及後，便會輪到如何充實在地居民所選擇的政策基準，也就是城市生活設施最低水平（Civil Minimum）的問題。爲了讓選擇更爲實質化，政策選擇有必要在每個地區實施，因此，地方政府就必須獨自處理這些問題。這就是推動地方分權的根本原因。

只不過以日本現狀來說，常被批評國家最低基準設定過高，政策修改是無法避免。比較容易理解的例子，包括車流量低的道路卻整建成雄偉的高速公路，或是小村鎮與鄰近村鎮互相競逐中央政府補助金或地方稅金，卻衍生了設置相同公共設施的問題。爲了改善這些情況，推動由地區居民自行負擔以增加決定行政服務基準的範圍之地方分權是有用的。但是，實施這些措施的前提是，國家最低基準必須確實地設定。

此外，統整並負責地區行政功能的地方政府，相較於規模大、不得不推動組織分化的中央政府，比較容易推動跨領域政策的綜合化。當然，中央政府的綜合化能力，也因爲議會內閣制的確立而提升。但是，若提到在具體政策執行現場的綜合化，地方政府仍然具有決定性的有利地位。這樣一來，地方政府就必須擁有大幅度的裁量權，否則即使想要調整政策，也無法變更單一政策，更難以綜合化。

其次，與當地居民的距離較近，也是對地方政府有利的地方。尤其是在市町村等最基層的地方政府中，原則上更容易透過選舉達到民主統制效果。而選舉以外的政治參與，也能透過各種形式達成。藉著選舉的機會回應各種需求，也可以透過包含實驗性質在內的方式，展開具有創造性的決策與執行。

從這個意義來看，推動地方分權是具有充分的理由。但是，比如說，透過分權在地方政府將政策綜合化，並不會讓中央政府的綜合化變得沒有意義。因爲，兩者之間具有互補的關係。

不僅如此，最重要的是，推動地方分權的國家決策，其明確的決策主體若不抑制省廳的抗拒，便無法實現。此外，地方分權的理論前提，亦即國家最低基準的重新設定，若非高能力的政府也無法實現。這樣看來，透過議會內閣制的確立讓中央政府的合理化，甚至可以說是地方分權的前提條件。

官民分界線的曖昧化

綜觀全球，光是這二十年間在行政領域上最顯著的潮流，便是官民的明確區隔逐漸消失，雙方的分界線也變得曖昧不明。

舉例來說，被視爲理所當然的國營電信電話、全國鐵路、郵政等公共事業，在一定的條件下被民營化，由民間企業負責營運。其次，原本認爲不加以規範便會產生問題的領域，在規範鬆綁後，非政府主體承擔公共事業的情形，也是隨處可見。此外，即使是典型的政府活動，透過功能的分解，導入民營活動的發想，似乎也是可行的。而且民間非營利團體承擔公共事業，也獲得廣泛的認可，其與政府合作達成公共目的之官民合作想法，也逐漸落實扎根。

由此看來，政府的功能被認爲有限，在政府之中引進市場競爭的思維，公共事業的承擔者並不侷限於政府的觀點獲得普遍認同，正是官民分界線曖昧化的現象。

但是，必須要注意的是，界線的曖昧化並非毫無道理。將市場競爭導入政府活動的大前提是，公共性內容仍由政府中樞所決定，活動實施部分才會導入市場競爭要素。若連提供什麼樣的行政服務都委由市場競爭決定，那就失去了政府提供這些服務的意義。因爲，若是市場能提供這些服務，就不需要特地由政府提供。

政府有責任決定什麼樣的事務具有公共性，而且這些事務是否僅由具強制力的政府才能處理等問題。在引進民間活力的大前提下，政府必須做出兩項決定，包括決定這些活動本身是否必要，以及應該要用什麼樣的標準提供。爲了確實執行決定，政府必須確保不同於執行部門的決策中樞之存在。

在歐美各國，傳統上政策的企劃、決策、執行就具有分離的傾向，決策中樞的確保，自然而然地獲得解決，反而是關於官民界線曖昧化的理論彙整成爲障礙。不過，這情況在日本卻是大相逕庭。

在官僚內閣制或省廳代表制之下，要區分出企劃與執行並不容易。不僅如此，就連問題的所在都難以掌握。儘管傳統上相當熱衷於引進外來制度，但是，先進國家中只有日本中央政府是例外，未搭上新公共管理（NPM）的浪潮，只要深入追究就可以發現這個問題。而導入的制度，包含政策評估在內，即使表面上看似相同，內容卻與其他國家大異其趣，很多不太具有效果。

考量這些情況，爲了推動新公共管理等改革、建構新的官民關係，強化議會內閣制以明確化決策中樞，乃是不可或缺的。

價值觀的多樣化與對統一的希求

此外，也有些行動對國家的存在本身感到疑問。誠如前述，在許多情況下，過往具有絕對性的主權國家權威和功能逐漸減弱，主權國家體系正出現緩慢融解的傾向。

在這現象中，構成民族國家的民族主義也有減弱趨勢。不僅如此，國民共通的生活模式也逐漸減弱，價值觀也變得多樣化。看到這些傾向，也出現有人否定國家的決定。透過民主決策的行爲，若只是空有形式，也有可能落入空談的危險。

對於這些情況，當然也會有反作用出現。其中，最明顯的現象就是追求民族主義復興的動作。即使是民族主義，其內容也是相當多樣，有些立場強調參與及民主主義，也有些立場則強調傳統與思想的統一。

原本民族主義成立之際，近代國家又呈現什麼樣貌呢？爲了終結悲慘的三十年宗教戰爭所簽訂的西發里亞合約（一六四八年），其所確立的近代國家體制，發展出國家爲保障多樣價值觀並存的措施。即使宗教或信念不同，只要同樣效忠國家就能共存，是近代國家的原則，許多國家的憲法也制定了相關機制。而現代的問題是，效忠國家的意義變得越來越不明確。

仔細思考這個問題，就會面臨要透過什麼樣的機制，讓多樣價值觀得以並存，且能取得共識的課題。相反地，若以多樣的價值觀爲前提，取得人們對必要決策的共識或同意的民意匯集功能，就會變得相當困難。但重要的是沒有區別。此時，制定基本連結模式，讓不同價值觀得以共存，就變得相當重要。這個方法便是所謂的「模組化」，必須創造一個可和其他價值觀共存的機制，但不會損及各個價值觀。

總之，雖然價值觀變得更多樣，但也不意味著不做任何決定就可以解決。必須要創造包容巨大不同價值觀的國家機制，及其配套的決策手法。但是，即使如此，改善現行的決策方式，仍是其大前提。

5 議會內閣制與政黨政治的未來

對政黨的期待

在健全的政黨政治支持下，議會內閣制的確立，不單只是實現了憲法預設的政治架構等形式上的意義，其實質上的意義也很重要。因此，匯集民意、確立責任與權力一致的大原則，重要的是，要有將其應用在處理不符合其框架的問題之態度。

重點是國家必須具備能力，可梳理持續擴散的各種問題，要解決這些課題並不容易。但是，政黨政治的動態功能，具備了可以處理不斷變化的政策課題之彈性。政黨雖然只代表了部分利益及意見，但是，因爲多數政黨相互競爭，讓政黨在整體上具有推動公共目的的結構。此時，將競爭規則之立憲秩序作爲共同基礎，將權力地位相對化的，就是人類長年培養而成的立憲民主制架構。

屆時，最重要的是政黨必須吸收社會的利益、意見，並加以彙整。有效的政黨必須要具備深耕於社會的特性，以及可以承受社會變化的彈性。

不過，在二十世紀先進國家中普遍可見到的組織政黨模式，當然是深深扎根於社會，但是，因爲其僵化的組織原則，讓這些政黨具有難以應對社會變化的問題。相較起來，自民黨等日本的政黨反而脫離了這些組織原則，具有彈性面對時代需求的一面。

然而，以議員爲中心、社會支持基礎較爲薄弱的日本政黨，在政權輪替的動能未啓動的條件下，逐漸無法跟上社會的變化，才會出現一九九〇年代的政治混亂。小泉內閣所實行的改革，則活用了議會內閣制的動能，打開改革的突破口。但是，那個改革是以民調中顯現出來的選民支持等爲後盾，因應需求而變更中央政府的應有樣貌，並不是全面活用政黨政治的動能。

其次，整備「民意匯集型政黨」受到期待。無論自民黨或民主黨，都同樣必須面對此一問題。在官僚內閣制之下，有許多「錄音機型」的政治人物，只會將選民的需求原封不動地傳達給省廳承辦單位。但是，聽取選民需求、並將其轉變爲政策型態的政黨獨特功能卻變弱了。扎根於社會、並能匯集多方要求與意見，進而予以體系化的政黨，將是選民翹首企盼的。

政黨沒有必要刻意想像成爲大規模組織。例如，利用網絡型態的「資訊交換圈」，進行必要的意見交換，也是現代組織的型態。其次，議員可以利用類似便利商店連鎖加盟的形式，與政黨總部連結、不僅可以統一招牌，還可以由政黨蒐集選民的要求與反應，並決定政黨方針，像這種組織論也是可能的。

這種新政黨的型態，全世界都在探尋。日本正處於大規模變革期間，政策課題堆積如山。需要面對這些政策課題的政黨之潛力相當高。

本書透過對現狀的分析，探究在這個時代中，古典政治制度的活用具有什麼意義。面臨的問題雖然很多，但是，選舉制度改革以來所積累的各種改革，終於開始出現效果。希望改革的腳步不要停下來，並繼續前進到創立下一個政治體系的階段。

後記

接到中公新書的執筆邀請，是在一九九五年的年底，至今已經過了將近十二年的歲月。不過，這並非意味著本書是歷經十年以上的時間、千錘百鍊後才撰寫而成。實際上，我好幾次都寫不下去，將稿子擱在一旁，直到最近才終於完成。

周遭環境浮躁就寫不出文章、政治情勢急遽變化會失去自信而無法撰寫等，比起其他人，我寫不出文章的原因很多。有時想著乾脆先寫其他的書，但是，全都失敗了，撰寫這本書成爲一種心理陰影。其證據就是，當我對這本書開始有點頭緒時，其他工作也會開始有所進展。

也因爲如此，恩師或同事等在學術上照顧過我的人就顯得特別多。爲了撰寫謝辭，我開始寫下每個人的名字，但是，卻又寫不下去。因爲我無法判斷列出來的範圍，順序也是一大難題。因此十分抱歉，我無法列舉出每一位的大名，僅能在心中默默地獻上我的誠摯謝意。

此外，若少了和政治人物、官僚、新聞工作者等實際了解日本政治者的對話，就沒有本書的誕生。在執筆的過程中，我內心經常浮現這些反應，並爲自己找理由。曾在Oral History Project與我深談過的人，與我有過雖短、卻又極富啓發性對話的人，與我想法相左、曾經有過激烈言詞交鋒的人，同樣是無法一一列出大名，但我也想對每一位致上謝意。

還有前來聽課的每一位學生，以及在讀書會、研究會中聽我做研究報告的所有人，我常常透過每一位的反應來改變我的表現方式或思維。此外，包括對於我宛如放羊孩子般地說過「很快就會出書」的話信以爲眞，還在賀年卡中寫下「還沒有出版嗎？」的朋友們，每一位曾多方關照我的人，都令我滿懷感謝。

不過，只有一位我必須列出他的名字，那就是中央公論新社的白戸直人先生。我和白戸先生結緣於《中央公論》，由他擔任中公新書負責窗口，並建議我再次執筆寫書，直到兩年多以前，我才終於開始動筆。這段期間，也曾因爲郵政解散等事件，讓我不時停筆。但是，在我開始撰寫後，他每週都會登門造訪，並取回原稿。若是看到我身體不舒服，還會勸我休息，完美地扮演了絕佳的產婆角色。從這一點來看，本書得以完成，完全都是白戸先生的功勞。雖然見面的頻率減少，會有一點落寞的感覺，但是，話雖如此，也不能再一次地重寫。衷心地致上感謝之意，並且在此結束執筆工作。

二〇〇七年六月

飯尾潤

主要參考文獻

第一章　官僚内閣制

赤木須留喜，〈明治国家における内閣制度と行政制度〉，日本行政學會編，《統治機構の諸相》（年報行政研究二七），ぎょうせい，一九九二年。

穴見明，〈内閣制度〉，西尾勝、村松岐夫編，《講座行政學第二卷制度と構造》，有斐閣，一九九四年。

市川太一，《〈世襲〉代議士の研究》，日本經濟新聞社，一九九〇年。

大石眞，《日本憲法史》，有斐閣，一九九五年。

岡田彰，《現代日本官僚制の成立：戰後占領期における行政制度の再編成》，法政大學出版局，一九九四年。

坂本一登，《伊藤博文と明治国家形成》，吉川弘文館，一九九一年。

瀧井一博，《文明史のなかの明治憲法》，講談社メチエ，二〇〇三年。

長尾龍一，《日本國家思想史研究》，創文社，一九八二年。

白芝浩，〈イギリス憲政論〉，辻清明編，《バジョットラスキマッキーヴァー》（世界の名著七二），中央公論社，一九八〇年＝Walter Bagehot, *The English Constitution*, 1867.

坂野潤治，〈戰前期日本の憲法と議会：一八六八—一九三六〉，日本政治學會編，《政治過程と議会の機能》（年報政治学一九八七），岩波書店，一九八八年。

松下圭一，〈国会イメージの転換を〉，《世界》，一九七七年二月号（再次收錄於《昭和後期の争点と政治》及《戰後政治の歴史と思想》）。

三谷太一郎，《增補日本政党政治の形成》，東京大學出版會，一九九五年。

村井良太，《政党內閣制の成立一九一八—二七》，有斐閣，二〇〇五年。

毛利透，〈內閣と行政各部の連結のあり方〉，《公法研究》六二号，二〇〇〇年

山口二郎，〈現代日本の政官関係〉，日本政治學會編，《現代日本政官関係の形成過程》（年報政治学一九九五），岩波書店，一九九五年。

Kaare Strøm, "*Delegation and Accountability in Parliamentary Democracy*", **European Journal of Political Research**, 37-3, 2000.

第二章　省廳代表制

青木昌彥、奥野正寬、岡崎哲二編著，《市場の役割国家の役割》，東洋經濟新報

社，一九九九年。

縣公一郎，〈法令の制定と省庁の意思決定〉，西尾勝、村松岐夫編，《講座行政第四巻政策と管理》，有斐閣，一九九五年。

伊藤大一，《現代日本官僚制の分析》，東京大學出版會，一九八〇年。

猪口孝，《現代日本政治経済の構図》，東洋經濟新報社，一九八三年。

今村都南雄，《官庁セクショナリズム》，東京大學出版會，二〇〇六年。

大石眞，〈內閣法制局の国政秩序形成機能〉，《公共政策研究》第六号，二〇〇六年。

大森彌，〈日本官僚制の事案決定手続き〉，日本政治學會編，《現代日本の政治手続き》（年報政治学一九八五），岩波書店，一九八六年。

大森彌，《官のシステム》，東京大學出版會，二〇〇六年。

金井利之，〈戰後日本の公務員制度における職階制〉，《公共政策研究》第六号，二〇〇六年。

川手摂，《戰後日本の公務員制度史：〈キャリア〉システムの成立と展開》，岩波書店，二〇〇五年。

坂本勝，〈国家公務員制度〉，西尾勝、村松岐夫編《講座行政学第二巻制度と構造》，有斐閣，一九九四年。

查默斯・詹森（Chalmers Johnson）（秋月謙吾譯），〈新しい資本主義の発見〉，《レヴァイアサン》一号，一九八七年。
城山英明、鈴木寛、細野助博編著，《中央省庁の政策形成過程》，中央大學出版部，一九九九年。
城山英明、細野助博編著，《續・中央省庁の政策形成過程》，中央大學出版部，二〇〇二年。
新藤宗幸，《行政指導》，岩波新書，一九九二年。
新藤宗幸，《講義現代日本の行政》，東京大學出版會，二〇〇一年。
田丸大，《法案作成と省庁官僚制》，信山社，二〇〇〇年。
辻清明，《新版日本官僚制の研究》，東京大學出版會，一九六九年。
西尾勝，《新版行政学》，有斐閣，一九九三年。
牧原出，〈《官房》の理論とその論理構造〉，日本行政學會編，《官邸と官房》（年報行政研究四〇），ぎょうせい，二〇〇五年。
松並潤，〈国家と社会の境界領域の諸問題〉，西尾勝・村松岐夫編，《講座行政第五卷業務の執行》，有斐閣，一九九四年。
眞渕勝，〈予算編成過程〉（岩波講座），《現代の法3政治過程と法》，岩波書店，一九九七年。
村上弘，〈国の自治体に対する統制・誘導〉，西尾勝、村松岐夫編，《講座行政第五卷業務の執行》，有斐閣，一九九四年。

村松岐夫，《日本の行政：活動型官僚制の変貌》，中公新書，一九九四年。
笠京子，〈省庁の外郭団体・業界団体・諮問機関〉，西尾勝、村松岐夫編，《講座行政学第四巻政策と管理》，有斐閣，一九九五年。

第三章　政府、執政黨二元制

穴見明，〈五五年体制の崩壊と執政機能の強化〉，日本政治學會編，《五五年体制の崩壊》（年報政治学一九九六），岩波書店，一九九六年。
飯尾潤，〈政治的官僚と行政的政治家〉，日本政治學會編，《現代日本政官関係の形成過程》（年報政治学一九九五），岩波書店，一九九五年。
飯尾潤，〈日本における二つの政府と政官関係〉，《レヴァイアサン》三四号，二〇〇四年。
猪口孝、岩井奉信，《〈族議員〉の研究：自民党政権を牛耳る主役たち》，日本經濟新聞社，一九八七年。
猪口孝，〈自民党研究の複合的視点〉，《レヴァイアサン》九号，一九九一年
加藤淳子，《税制改革と官僚制》，東京大學出版會，一九九七年。
川人貞史，《日本の国会制度と政党政治》，東京大學出版會，二〇〇五年。
北山俊哉，〈土建国家日本と資本主義の諸類型〉，《レヴァイアサン》三二号，

二〇〇三年。
佐竹五六，《体験的官僚論》，有斐閣，一九九八年。
佐竹五六，〈政党と官僚制〉，北村公彥等編，《現代日本政党論》（現代日本政党史錄一），第一法規，二〇〇四年。
佐藤成三郎、松崎哲久，《自民党政権》，中央公論社，一九八六年。
曽根泰教、岩井奉信，〈政策過程における議会の役割〉，日本政治學會編，《政治過程と議会の機能》（年報政治学一九八七），岩波書店，一九八八年。
田中善一郎，《自民党のドラマツルギー：総裁選出と派閥》，東京大學出版會，一九八六年。
戸矢哲朗（戸矢里衣奈譯），《金融ビッグバンの政治経済学：金融と公共政策における制度変化》，東洋經濟新報社，二〇〇三年。
中野実，《日本の政治力学：誰が政策を決めるのか》，日本放送出版協會，一九九三年。
日本經濟新聞社編，《自民党政調会》，日本經濟新聞社，一九八三年。
牧原出，《內閣政制と〈大蔵省支配〉：政治主導の条件》，中公叢書，二〇〇三年。
御廚貴，《政策の総合と権力：日本政制の戰前と戰後》，東京大學出版會，一九九六年。

村松岐夫，《戦後日本の官僚制》，東洋經濟新報社，一九八一年。
山口二郎，《大蔵官僚支配の終焉》，岩波書店，一九八七年。
山口二郎，〈政治・行政のインターフェイスの諸相と統治構造〉，日本行政學會編，《統治機構の諸相》（年報行政研究二七），ぎょうせい，一九九二年。

第四章　無政黨輪替的政黨政治

飯尾潤，〈政党〉，福田有広、谷口将紀編，《デモクラシーの政治学》，東京大學出版會，二〇〇二年。
石川眞澄、広瀬道貞，《自民党：長期支配の構造》，岩波書店，一九八九年。
伊藤光利，〈国会のメカニズムと機能〉，日本政治學會編，《政治過程と議会の機能》（年報政治学一九八七），岩波書店，一九八八年。
内山融，《現代日本の国家と市場：石油危機以降の市場の脱〈公的領域〉化》，東京大學出版會，一九九八年。
岡沢憲芙，〈政党政治システムの変容〉，日本政治學會編，《五五年体制の崩壊》（年報政治学一九九六），岩波書店，一九九六年。
小野耕二，《転換期の政治変容》，日本評論社，二〇〇〇年。
蒲島郁夫、山田眞欲，〈後援会と日本の政治〉，日本政治學會編，《ナショナリズムの現在・戦後日本の政治》（年報政治学一九九四），岩波書店，一九九四年。

蒲島郁夫，《戦後政治の軌跡》，岩波書店，二〇〇四年。

神島二郎編，《現代日本の政治構造》，法律文化社，一九八五年。

川人貞史，《選挙制度と政党システム》，木鐸社，二〇〇四年。

北岡伸一，《政党政治の再生：戦後政治の形成と崩壊》，中央公論社，一九九五年。

北岡伸一，《自民党：政権の三八年》，讀賣新聞社，一九九五年。

栗本愼一郎，《現代政治の秘密と構造》，東洋經濟新報社，一九九九年。

佐々木毅，《いま政治に何が可能か：政治的意味空間の再生のために》，中公新書，一九八七年。

Giovanni Sartori（岡沢憲芙・川野秀之譯），《現代政党学》，早稲田大学出版部，二〇〇〇年＝*Giovanni Sartori, Parties and Party Systems*, Vol 1, Cambridge University Press, 1976.

田中善一郎，《自民党体制の政治指導》，第一法規，一九八一年。

谷勝宏，《現代日本の立法過程：一党優位制議会の実証研究》，信山社，一九九五年。

富森叡児，《日本型民主主義の構図》，朝日新聞社，一九九三年。

坂野潤治，《明治デモクラシー》，岩波新書，二〇〇五年。

道貞，《補助金と政権党》，朝日新聞社，一九八一年。
渡展洋，《戦後日本の市場と政治》，東京大學出版會，一九九一年。
T. J. Pempel、村松岐夫、森本哲郎，〈一党優位制の形成と崩壊〉，《レヴァイアサン》，一九九四年冬臨時増刊号，一九九四年。
増山幹高，《議会制度と日本政治：議事運営の計量政治学》，木鐸社，二〇〇三年。
松下圭一，《戦後政党の発想と文脈》，東京大學出版會，二〇〇四年。
的場敏博，《現代政党システムの変容：九〇年代における危機の深化》，有斐閣，二〇〇三年。
Steven R. Reed，〈自由民主党の固定化〉，《レヴァイアサン》九号，一九九一年。
Kent E. Calder, *Crisis and Compensation: Public Policy and Political Stability in Japan*, 1949-1986, Princeton University Press, 1988⊠Kent E. Calder（淑子Calder譯）《自民党長期政権の研究：危機と補助金》。
Angelo Panebianco, *Political Parties: Organization & Power*, Cambridge University Press, 1988＝（義大利文原版翻譯）A. Panebianco（村上信一郎譯），《政党：組織と権力》，ミネルヴァ書房，二〇〇五年。
T. J. Pempel ed., *Uncommon Democracies: The One-Party Dominant Regimes*, Cornell

University Press, 1990.

Alan Ware, *Political Parties and Party Systems*, Oxford University Press, 1996.

第五章　統治機關的比較——議會內閣制與總統制

赤間祐介，〈政官関係〉，森田朗編，《行政学の基礎》，岩波書店，一九九八年

阿川尚之，《憲法で読むアメリカ史》上下，PHP新書，二〇〇四年。

飯尾潤、增山幹高，〈日韓における弱い議院內閣制と強い大統領制〉，曽根泰教、崔章集編，《変動期の日韓政治比較》，慶應義塾大學出版會，二〇〇四年。

今井威，《議院內閣制》，ブレーン出版，一九九一年。

梅津實、森脇俊雅、坪郷實、後房雄、大西裕、山田眞裕，《新版比較・選挙政治：二一世紀初頭における先進六ヶ国の選挙》，ミネルヴァ書房，二〇〇四年

大山礼子，《フランスの政治制度》，東信堂，二〇〇六年。

小川有美編著，《国際情勢ベーシックシリーズ⑥EU諸国》，自由國民社，一九九九年。

片岡寛光，《內閣の機能と補佐機構：大統領制と議院內閣制の比較研究》，成文堂，一九八二年。

篠原一，《ヨーロッパの政治》，東京大學出版會，一九八六年。

長井良和，《フランス官僚エリートの源流》，芦書房，一九九一年。

野中尚人，《自民党政権下の政治エリート：新制度論による日仏比較》，東京大學出版會，一九九五年。

野中尚人，〈高級行政官僚の人事システムについての日　比較と執政中枢への展望〉，日本比較政治學會編，《日本政治を比較する》，早稲田大學出版部，二〇〇五年。

的場敏博，《政治機構論講義：現代の議会制と政党・圧力団体》，有斐閣，一九九八年。

Gerhard Lehmbruch（平島健司編譯），《ヨーロッパ比較政治発展論》，東京大學出版會，二〇〇四年。

Joel D. Aberbach, Robert D. Putnam, and Bert A. Rockman, *Bureaucrats and Politicians in Western Democracies*, Harvard University Press, 1981.

Simon James, *British Cabinet Government*, Routledge, 1992.

Arend Lijphart, *Patterns of Democracy: Government Forms and Performance in Thirty-Six Countries*, Yale University Press, 1999.

R. A. W. Rhodes and P. Dunleavy eds., *Prime Minister*, Cabinet and Core Executive, Macmillan, 1995.

Giovani Sartori, *Comparative Constitutional Engineering: An Inquiry into Structures*,

Incentives, and Outcomes, Macmillan, 1994＝Giovani Sartori（工藤裕子譯），《比較政治学：構造・動機・結果》，早稲田大學出版部，二〇〇〇年。

Bernard S. Silberman, *Cages of Reason: The Rise of the Rational State in France, Japan, The Unites States, and Great Britain*, University of Chicago Press, 1993＝B. S. Silberman（武藤博己、新川達郎、小池治、西尾隆、辻隆夫譯），《比較官僚制成立史》，三嶺書房，一九九九年。

James L. Sundquist, *Constitutional Reform and Effective Government, rev. ed.*, The Brookings Institution, 1992.

R. Kent Weaver and Bert A. Rockman eds., *Do Institutions Matter?: Government Capabilities in the United States and Abroad*, The Brookings Institution, 1993.

第六章　議會內閣制的確立

飯尾潤，〈政党制転換期における政官関係の変容〉，北村公彥等編，《五五年体制以降の政党政治》（現代日本政党史録五），第一法規，二〇〇四年。

飯尾潤，〈副大臣・政務官制度の目的と実績〉，《レヴァイアサン》三八号，二〇〇六年。

飯尾潤，〈経済財政諮問会議による内閣制の転換〉，《公共政策研究》第六号，二〇〇六年。

伊藤光利，〈官邸主導型政策決定と自民党〉，《レヴァイアサン》三八号，二〇〇六年。

內山融，《小泉政権：〈パトスの首相〉は何を変えたのか》，中公新書，二〇〇七年。

大石眞、久保文明、佐々木毅、山口二郎編著，《首相公選を考える：その可能性と問題》，中公新書，二〇〇二年。

大嶽秀夫，《小泉純一郎ポピュリズムの研究》，東洋經濟新報社，二〇〇六年

小沢一郎，《日本改造計画》，講談社，一九九三年。

佐々木毅，《政治に何ができるか》，講談社，一九九一年。

佐々木毅，《政治家の条件》，講談社，一九九五年。

佐々木毅編著，《政治改革一八〇〇日の眞実》，講談社，一九九九年。

清水眞人，《官邸主導：小泉純一郎の革命》，日本經濟新聞社，二〇〇五年。

高橋和之，《国民內閣制の理念と運用》，有斐閣，一九九四年。

竹中治堅，《首相支配：日本政治の変貌》，中公新書，二〇〇六年。

田中一昭、岡田彰編著，《中央省庁改革》，日本評論社，二〇〇〇年。

田丸大，〈省庁における法案の作成過程とその変容〉，日本行政學會編《官邸と官房》（年報行政研究四〇），ぎょうせい，二〇〇五年。

樋渡展洋、三浦まり編，《流動期の日本政治：〈失われた十年〉の政治学的検証》，東京大學出版會，二〇〇二年。
松下圭一，《政治・行政の考え方》，岩波新書，一九九八年。
松本正生，《政治意識図説：〈政党支持世代〉の退場》，中公新書，二〇〇一年。
村松岐夫、久米郁男編著，《日本政治変動の三〇年》，東洋經濟新報社，二〇〇六年。

第七章　政黨政治的侷限與意義

大山礼子，《比較議会政治論》，岩波書店，二〇〇三年。
川崎修，〈《自由民主主義》：理念と体制の間〉，日本政治學會編，《三つのデモクラシー》（年報政治学二〇〇一），岩波書店，二〇〇二年。
杉田敦，《境界線の政治学》，岩波書店，二〇〇五年。
西尾勝，〈議院内閣制と官僚制〉，《公法研究》五七号，一九九五年。
松下圭一，《政策型思考と政治》，東京大學出版會，一九九一年。
三谷太一郎，《政治的制度としての陪審制》，東京大學出版會，二〇〇一年。

雅文庫 267

本的統治結構：從官僚內閣制到議會內閣制

本の統治構造 — 官僚内閣制から議院内閣制へ

者 飯尾潤
者 林倩伃
訂 林賢參
行 人 楊榮川
經 理 楊士清
編 輯 楊秀麗
行主編 劉靜芬
面設計 姚孝慈
版 者 五南圖書出版股份有限公司
址 106台北市大安區和平東路二段339號4樓
話 (02)2705-5066
真 (02)2706-6100
撥帳號 01068953
名 五南圖書出版股份有限公司
址 https://www.wunan.com.tw
子郵件 wunan@wunan.com.tw
法律顧問 林勝安律師事務所 林勝安律師
出版日期 2022年 9 月初版一刷
定 價 新臺幣380元

國家圖書館出版品預行編目資料

日本的統治結構：從官僚內閣制到議會內閣制/
飯尾潤著；林倩伃譯.--初版.--臺北市:五南
圖書出版股份有限公司, 2022.09
面； 公分. --(博雅文庫；267)

譯自：日本の統治構造：官僚内閣制から議院
內閣制へ

ISBN 978-626-343-059-4 (平裝)

1.CST：官僚政治 2.CST：內閣 3.CST：日本

574.255 111010939